VINICIUS IRACET

TOP 50 SONHOS

E SEUS SIGNIFICADOS

2023

Top 50 Sonhos e seus significados

1ª edição: Novembro 2023

Autor:
Vinicius Iracet

Preparação de texto:
3GB Consulting

Revisão:
Daniela Georgeto
Rebeca Michelotti

Projeto gráfico e capa:
Jéssica Wendy

DADOS INTERNACIONAIS DE CATALOGAÇÃO NA PUBLICAÇÃO (CIP)

Iracet, Vinicius
Top 50 sonhos e seus significados / Vinicius Iracet. — Porto Alegre : Citadel, 2023.
208 p. : il., color.

ISBN 978-65-5047-272-6

1. Sonhos - Significados I. Título

23-6147 CDD - 135.3

Angélica Ilacqua - Bibliotecária - CRB-8/7057

Produção editorial e distribuição:

contato@citadel.com.br
www.citadel.com.br

SUMÁRIO

William Shakespeare
já escrevia no século 15:

"Há mais coisas entre o céu e a Terra, Horácio, do que sonha a nossa vã filosofia."

Acredito que ele continua tendo razão.

✦

"Desperta tu que dormes,
levanta-te dentre os mortos
e Cristo resplandecerá sobre ti."

(Efésios 5:14)

✦

APRESENTAÇÃO

A Bíblia está declarando nesse versículo que precisamos vigiar; além disso, está sinalizando que algumas pessoas têm sonhos e estão dormindo espiritualmente, ou seja, estão ignorando sonhos graves, que são alertas, e, muitas vezes, de nível altíssimo. Isto é, precisamos entender que os sonhos falam muito sobre situações que estamos vivendo ou pelas quais ainda passaremos, assim como podem representar coisas do passado que nos atormentam até hoje.

Muitas pessoas sonham, e Deus se comunica com diversas delas pelos sonhos. Se isso está acontecendo com você, quero lhe apresentar o *Top 50 sonhos e seus significados*, com diversas interpretações e direções sobre uma grande gama de sonhos.

Deus me deu o dom de ensinar as pessoas a ouvirem a Sua voz, de interpretar sonhos, de entender os ambientes e as coisas espirituais que estão ao redor, por isso, acredito que esta leitura irá auxiliá-lo a entender a voz de Deus por meio dos sonhos.

Profeta Vinicius Iracet

INTRODUÇÃO

Há pessoas que sonham muito, algumas sonham todos os dias, mas elas precisam entender que essa habilidade lhes foi dada por Deus, mesmo que elas não sejam crentes.

Uma pessoa, quando tem um sonho vindo de Deus, mesmo que ela tenha tido várias experiências com sonhos, não consegue interpretar, adentrar profundamente, porque isso só é possível por Deus. Isto é, a interpretação correta de um sonho só se consegue com e em Jesus. O discernimento espiritual só é apurado na presença Dele. Porque o espírito precisa estar conectado a Jesus para que tenhamos a interpretação certa.

Há sonhos que são fáceis de interpretar, mas há outros que só um profeta consegue fazê-lo, pois são sonhos carregados de códigos. Dentro de um sonho há uma narrativa, há uma lista de códigos que encaixam uma coisa na outra. Quando o sonho não é de Deus, é como se houvesse uma quebra nesse código profético, e o profeta não consegue ir adiante, pois não há uma conexão. Todo o sonho de Deus vai em uma direção só, sem pegar ruas, curvas ou atalhos.

Outros sonhos são tão profundos e complexos que nem mesmo um profeta consegue ter uma interpretação instantânea e detalhada dos seus significados, sendo necessário, para isso, mais tempo de oração.

**"Aquietai-vos,
e sabei que eu sou Deus;
serei exaltado entre os gentios;
serei exaltado sobre a terra."**

(Salmos 46:10)

Esse texto contém um segredo espiritual. Quando o Senhor diz "Aquietai-vos", Ele está dizendo que no nosso silêncio vamos conhecer Deus, pois é nesse silêncio que Ele vai se manifestar. O sonho é um desses momentos de quietude.

Por que os sonhos são mistérios?

Porque os sonhos precisam ser revelados. O sonho literal é de fácil interpretação, mas os sonhos figurados, simbólicos, exigem não apenas o conhecimento bíblico, mas também o entendimento da revelação. Sonhar é ver a voz de Deus. O mistério reside em decodificar o que está codificado, pois todo sonho vem cifrado.

O que é uma codificação?

É uma mensagem por trás da figura, ou seja, quando trocamos mensagens, para que outras pessoas não vejam a nossa conversa, ela é codificada, portanto, só pode vê-la quem tem o código.

Interpretar os sonhos é decodificar os mistérios de Deus, interpretando-os com os olhos Dele.

Revesti-vos de toda a armadura de Deus, para que possais estar firmes contra as astutas ciladas do diabo. Porque não temos que lutar contra a carne e o sangue, mas, sim, contra os principados, contra as potestades, contra os príncipes das trevas deste século, contra as hostes espirituais da maldade, nos lugares celestiais. Portanto, tomai toda a armadura de Deus, para que possais resistir no dia mau e, havendo feito tudo, ficar firmes.

(Efésios 6:11-13)

SONHAR COM

COBRAS

Interpretações

A cobra representa o diabo e os demônios, por isso, sonhar com cobra é sempre um ataque espiritual. Ela é símbolo de algo que se está vencendo espiritualmente ou de algo que se está batalhando naquele momento.

Sonhar com cobra grande quer dizer que existe um ataque espiritual contra a vida da pessoa, maior do que ela está imaginando.

Sonhar com cobra no quarto representa um ataque contra o relacionamento, contra a família, contra a vida sentimental.

Sonhar com cobras no quintal representa um ataque espiritual que está próximo, pronto para atacar e que já deu uma permissão para avançar.

Sonhar com cobra no rio, na piscina, na água simboliza um ambiente onde existe uma pessoa muito traiçoeira, enganadora, nada confiável. Revela um caminho que pode trazer problemas e enganos. A Bíblia diz que a serpente enganou

Eva. Pode indicar negócios propensos a dar errado, nos quais a pessoa será lesada.

Sonhar com cobra que parece amigável representa uma falsa amizade. Aparentemente é boazinha, mas na verdade é falsa.

Aplicação

É necessário orar, repreendendo todo ataque espiritual na área representada; clamar o sangue e o poder de Jesus. Pedir para que o Espírito Santo mude o cenário.

João Batista veio antes de Jesus justamente preparar o cenário. Antes de Jesus começar o seu ministério, João Batista já estava no Jordão. E ele dizia: "Arrependei-vos, ele está chegando". Ou seja, João Batista estava preparando o cenário. Não queira ter grandes experiências com Deus sem antes preparar o ambiente. Você precisa provocá-lo.

Precisamos sempre alimentar essa fome, essa sede de beber do Espírito antes de qualquer coisa ou afazer. Quando a presença de Deus, o beber do Espírito, torna-se uma necessidade, você tem fome e sede da presença Dele, e essa presença dissipa todo o mal, todo o ataque espiritual.

✦

Oração

Senhor Jesus, clamamos a Sua presença e o Seu sangue sobre nossas vidas. Repreendemos todo ataque do inferno, cancelamos os ataques espirituais sobre todas as áreas de nossa vida. Guarda-nos, Deus, na fenda da rocha, onde o inimigo não possa nos encontrar, livra-nos de todo laço de Satanás, em nome de Jesus. Amém.

2

Nossa esperança está no Senhor;
ele é nosso auxílio e nossa proteção.

(Salmos 33:20)

SONHAR COM

CROCODILO

Interpretação

Sonhos com crocodilos estão relacionados principalmente a um ambiente novo em que a pessoa está entrando, um novo trabalho, um país novo para onde está indo, uma roda de amigos nova, uma igreja nova que conhecerá e frequentará. A questão principal nesse tipo de sonho é que alguém não está gostando nada que ela esteja participando desse círculo de amizades, desse novo ambiente. Tem alguém que "não bateu com ela", não a quer por perto. Esse sonho revela que alguém se sente muito ameaçado pela presença dessa pessoa e já está trabalhando contra tudo que ela faz.

Aplicação

É preciso ter cautela em lugares, coisas novas e pessoas com quem se está começando a conviver. Orar e vigiar. Repreender toda a contrariedade, implicância e inveja. Tomar posse do ambiente por meio da adoração.

Quando oramos, precisamos prestar atenção nas músicas que colocamos como fundo, pois há canções que distraem, em vez de levarem à verdadeira oração e adoração. Por outro lado, há canções com as quais nos quebrantamos e, quando entramos nessa atmosfera de adoração, nos unimos aos anjos de Deus e vemos a glória Dele se manifestando, se movendo, nos tocando e renovando nossas forças.

✦

Oração

Poderoso e amado Deus, colocamos nossas vidas em suas poderosas mãos. Agradecemos a Sua infinita bondade, graça e misericórdia sobre nós. Louvamos o Seu nome pelo Seu auxílio e Sua proteção. Nos guarda em ambientes novos e de pessoas que não conhecemos. Repreendemos, em nome de Jesus, todo espírito de contrariedade que se opõe a nós. Amém.

3

Senhor meu Deus, em ti me refugio; salva-me e livra-me de todos os que me perseguem, para que, como leões, não me dilacerem nem me despedacem, sem que ninguém me livre.

(Salmos 7:1,2)

SONHAR COM

ROUPA

Interpretações

Sonhar com roupa velha representa injustiças que foram marcadas, às vezes até mesmo por erros cometidos pela própria pessoa.

Sonhar com roupa dobrada simboliza que a justiça de Deus está muito próxima.

Sonhar que está ganhando roupa significa que receberá uma boa notícia que mostrará Deus o honrando.

Sonhar com roupa nova representa que a justiça de Deus acontecerá em breve na vida da pessoa ou que está acontecendo. Demostra que Deus já tomou o controle daquela situação.

Sonhar que está comprando roupa é muito bom, pois mostra que Deus está dando as oportunidades certas, no tempo certo, para que todo o tempo de experiências ruins se converta em tempo de boas vivências. É Deus equilibrando a balança e derramando honra sobre a sua vida.

Aplicação

Discernir o tempo, a estação que se está vivendo e o que Deus está falando com aquele sonho. Agir em favor da revelação daquele sonho. Intensificar as orações é uma das maneiras de liberar essas bênçãos em sua vida.

DECIDA CONTINUAR, APESAR DAS OPOSIÇÕES.

✦

Oração

Senhor, venha o Teu reino, seja feita a Tua vontade, assim na Terra como no Céu. Seja feita a Tua justiça sobre a nossa vida. Conceda-nos a Tua paz, que excede todo o entendimento. Trabalhe no nosso coração e no nosso caráter e use a nossa vida como canal de bênção para essa geração. Proteja-nos de toda a injustiça, dê-nos entendimento do tempo em que vivemos e conduza-nos para aquilo que o Senhor tem preparado para nós, em nome de Jesus. Amém.

4

Quanto ao mais, irmãos, tudo o que é verdadeiro, tudo o que é honesto, tudo o que é justo, tudo o que é puro, tudo o que é amável, tudo o que é de boa fama, se há alguma virtude, e se há algum louvor, nisso pensai.

(Filipenses 4:8)

SONHAR COM

BANHEIROS – VASO SANITÁRIO

Interpretações

Sonhar com banheiros ou vaso sanitário representa a vida emocional, que possivelmente está com problemas sérios; é como sonhar com fezes ou urina.

Sonhar com banheiro sujo mostra uma vida emocional desequilibrada, significa que há alguma coisa no coração que está machucando e prejudicando sua vida. Isso pode estar ligado a ressentimentos, raiva, ódio...

Sonhar com banheiro limpo demonstra que o emocional está se equilibrando, está sendo colocado em ordem, mas que o coração está muito sensível.

Sonhar que está olhando para um vaso sanitário sujo, de alguma maneira, significa que você ou alguém da sua casa está muito fragilizado emocionalmente. Indica pessoas próximas de nós que não estão se abrindo, estão guardando tudo para si.

Aplicação

Se há ressentimentos, é preciso liberar perdão. É necessário pedir cura interior e equilíbrio emocional ao Senhor. É bom alimentar-se com a Palavra de Deus e trazer os pensamentos à presença Dele, como diz em Filipenses 4:8:

"Quanto ao mais, irmãos, tudo o que é verdadeiro, tudo o que é honesto, tudo o que é justo, tudo o que é puro, tudo o que é amável, tudo o que é de boa fama, se há alguma virtude, e se há algum louvor, nisso pensai."

No caso de muita sensibilidade emocional, é preciso ter cuidado em como lidar e conversar com essa pessoa.

✦

Oração

Senhor Jesus, limpa meu coração. Que de hoje em diante esteja por terra todo sentimento nocivo e negativo contra minha vida, toda palavra que foi lançada nos ares contra mim ou a minha casa. Que o sangue de Jesus agora proteja esta casa, esta família. Amém.

5

Então invoquei o nome do Senhor, dizendo: Ó, Senhor, livra a minha alma. Piedoso é o Senhor e justo; o nosso Deus tem misericórdia. O Senhor guarda aos símplices; fui abatido, mas ele me livrou.

(Salmos 116:4-6)

SONHAR QUE ESTÁ FAZENDO UMA

PROVA, UM TESTE OU VOLTANDO PARA A ESCOLA/UNIVERSIDADE

Interpretações

Sonhar que está fazendo uma prova significa que uma área da vida da pessoa não está sendo conduzida com sabedoria. Possivelmente, está passando pela mesma situação porque não aprendeu na anterior, ou seja, são ensinos que já teve de Deus, mas, por não ter aprendido bem, não ter entendido o que Deus falou, está passando novamente pela mesma situação.

Quando uma pessoa sonha que está fazendo um teste, isso está muito relacionado a algo pelo qual ela ainda vai passar, ou seja, não se trata de algo pelo qual já está passando. Isto é, são provas que podem estar se repetindo porque se está caindo nos mesmos erros, falhando nas mesmas coisas, caindo nos mesmos golpes, nos mesmos pecados, em outras palavras, aquilo se tornou uma maldição ou um círculo vicioso na vida dessa pessoa.

Sonhar com prova sem estar passando por prova pode ser alguém próximo, um familiar, o cônjuge, o filho, uma irmã de sangue ou alguém muito ligado, como um amigo ou uma amiga, que está sofrendo com lutas. Nossos sonhos têm um raio de ação muito grande, pois sonhamos sobre nós e em relação a quem está ligado a nós diretamente.

Aplicação

É preciso orar, pedir perdão a Deus e mudar de atitude diante de determinadas situações, colocando em prática as lições aprendidas.

Na escola do Espírito Santo, temos que aprender que Deus está forjando o nosso caráter, está nos preparando para aquilo que é o nosso destino. Sendo assim, são muitas provas a enfrentar, vários testes, e, antes do nascimento de um grande ministério ou da grande aceleração dos negócios ou qualquer que seja a área da nossa vida, vem uma prova cabal. Esta antecede o que há de vir, faz parte do processo, é o teste final para alcançarmos um lugar mais alto.

Teremos testes durante toda a vida, mas há alguns que são as passagens de um módulo para outro. Nesse teste derradeiro, algumas coisas são fundamentais. Em primeiro lugar, a resistência, a capacidade de resistir no espírito, de suportar as lutas, as afrontas, bem como desenvolver a capacidade de perdoar, de orar pelos inimigos e de abençoar os que nos traem.

No teste final, Deus nos prova com o amor. Só conhece misericórdia quem exerceu misericórdia de fato. Porque às vezes nossa misericórdia não é genuína, então Deus nos ensina a nos mover com amor.

Oração

Senhor, livra-nos do mal, perdoa os nossos pecados. Pela Sua misericórdia, ajuda-nos a sair dos círculos viciosos que nos fazem sempre cair no mesmo erro. Ensina-nos, Espírito Santo, a lidar do Seu jeito com cada situação, para que possamos ser provados e aprovados pelo Senhor, nosso Deus e Pai, e atingirmos o alvo. Amém.

Também agora a minha cabeça será exaltada sobre os meus inimigos que estão em redor de mim; por isso oferecerei sacrifício de júbilo no seu tabernáculo; cantarei, sim, cantarei louvores ao Senhor. Ouve, Senhor, a minha voz quando clamo; tem também piedade de mim, e responde-me.

(Salmos 27:6,7)

SONHAR COM

TRAIÇÃO

Interpretação

As pessoas me perguntam muito se sonhar com traição significa que literalmente estão sendo traídas. Geralmente não se trata disso, embora não devamos excluir completamente essa possibilidade. Assim, grande parte dos sonhos com traição não significa efetivamente que a pessoa está sendo traída, mas mostra que há espíritos de inveja atuando nessa vida para destruir o casamento ou demais relacionamentos.

Existem áreas que geralmente estão sendo atacadas quando uma pessoa sonha com traição. Assim, pode representar estar sendo atacado financeiramente, estar sendo roubado nas finanças ou que o inimigo está sabotando os negócios. Há também a influência do inimigo, que Deus mostra pelo sonho com traição, no casamento, na vida sentimental. São ataques muito violentos, muito fortes, na área dos sentimentos. Como essa é uma área vital, a pessoa sonha com traição. Aí vêm as brigas, as desconfianças e as confusões.

Em síntese, os sonhos com traição denotam que existe uma inveja muito grande contra a pessoa e seus relacionamentos.

Aplicação

Não se pode ignorar esse tipo de sonho, porque revela bem mais do que se imagina. É preciso pedir a proteção de Deus e repreender todo espírito de inveja, de bancarrota, e toda investida contra o relacionamento amoroso.

Satanás não tem como ver o futuro, só Deus conhece todas as coisas, já que Ele é onisciente. Só Ele conhece o hoje, o ontem e o amanhã. Todavia, se Satanás não conhece o futuro, como ele consegue ver que uma pessoa é escolhida por Deus, tentando destruir o chamado, a vida daquela pessoa? Porque desde o dia em que nascemos há um cenário ao nosso redor. E, mesmo que o inimigo não consiga ver o futuro, ele consegue ver os ambientes e detectar os sinais do potencial da pessoa.

O diabo consegue ver os anjos que estão ao seu redor, consegue ver se Deus está na sua casa. É por isso que Herodes tentou matar Jesus, como lemos na Bíblia. Herodes poderia ter desconsiderado o que os magos disseram, mas Satanás, por meio de Herodes, tentou assassinar Jesus. O diabo sabe se temos um chamado e sabe também quando Deus está preparando uma vitória, um milagre ou uma ação sobrenatural, pois identifica os indícios no cenário e tenta, antecipadamente, abortar as conquistas que Deus tem para a nossa vida.

Por isso, é muito importante entendermos os movimentos dos espíritos em um lugar e até mesmo quando não há movimentos de Deus em determinado ambiente.

Oração

Na autoridade do nome de Jesus, eu caço nos ares todo espírito de traição nos relacionamentos familiares e nas amizades. Cancelo todo problema nas finanças e sabotagem, em nome de Jesus. Repreendo todo espírito de inveja, de perseguição nas escolas, universidades e ambientes de trabalho, no santo nome de Jesus. Que todo espírito de difamação, mentira e invenção caia por terra, em nome de Jesus. Amém.

Pois não conquistaram a terra pela sua espada, nem o seu braço os salvou, mas a tua destra e o teu braço, e a luz da tua face, porquanto te agradaste deles. Tu és o meu Rei, ó Deus; ordena salvações para Jacó.

(Salmos 44:3,4)

SONHAR COM

ARANHAS OU TEIAS DE ARANHA

Interpretação

Sonho com ***aranha*** é um dos piores que se pode ter, ficando atrás somente dos sonhos com cobras. É alerta máximo por meio dos sonhos.

Uma aranha representa, ainda, coisas que estão há muito tempo agindo na vida da pessoa. Isso é muito sério, justamente porque é uma obra em que o inimigo está investindo por longo tempo. Denota uma vida amarrada, algo a que o inimigo prendeu o indivíduo e em que vem trabalhando gradativamente, portanto, não se trata de algo que aconteceu da noite para o dia. Também significa que há mentiras e coisas ocultas na vida de alguém da família. Já tive visões relacionadas a isso, e sempre estavam ligadas à rede de mentiras e destruição lenta da família.

Aplicação

É preciso descobrir, em primeiro lugar, que área o inimigo conseguiu imobilizar, se o casamento, as finanças etc. Depois disso, lutar espiritualmente. Às vezes é preciso conversar com as pessoas envolvidas e também procurar ajuda espiritual em uma Igreja, buscar a Deus pela família, pela casa.

Coloque tudo nas mãos de Deus, praticando o que está escrito na Palavra Dele: "*Entrega o teu caminho ao Senhor, confia Nele e tudo Ele fará*" (Salmos 37:5). Mas veja bem, ao contrário do que muitos pensam, colocar as coisas nas mãos de Deus não dispensa esforço e trabalho duro; significa fazermos a nossa parte e permitirmos que Ele faça a Dele. Isto é, deixar os resultados com Deus. Isso porque há coisas que, por mais que tentemos, só Deus pode transformar. Há portas que só Deus pode abrir e fechar. Há milagres que só Ele opera.

✦

Oração

Senhor Jesus, coloco minha vida no Teu altar e declaro que toda amarra na minha vida seja desfeita. Senhor, abençoa a minha vida sentimental e traz Tua luz sobre o que está oculto, familiar, profissional e financeiramente. Eu manieto toda contrariedade e todos os espíritos imundos lançados contra minha descendência. Guarda a minha casa de todo o mal, que todo espírito de prejuízo e de morte bata em retirada, em nome de Jesus. Amém.

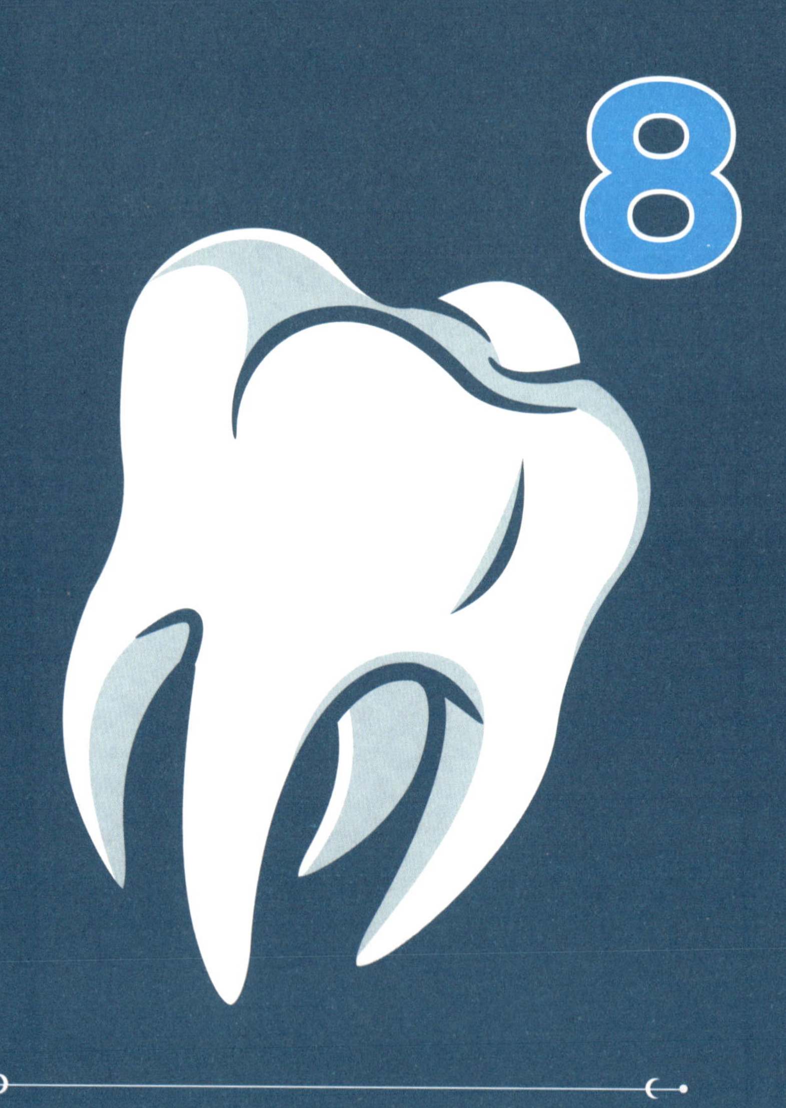

Portanto, agora nenhuma condenação há para os que estão em Cristo Jesus, que não andam segundo a carne, mas segundo o Espírito. Porque a lei do Espírito de vida, em Cristo Jesus, me livrou da lei do pecado e da morte.

(Romanos 8:1,2)

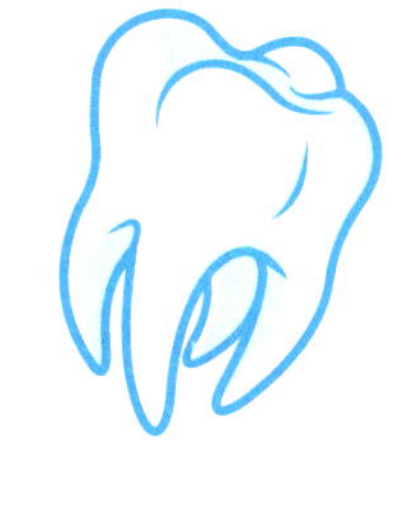

SONHAR COM

DENTE

Interpretações

Sonhar com dente está relacionado a uma área substancial da nossa vida. Quando comecei a interpretar sonhos, pensava que sonho com dente tinha relação com alma, porque geralmente é desconfortável mexer com dente. No entanto, abri meu entendimento quando uma mulher me relatou um sonho em que estava perdendo dentes. Foi naquele momento que o Espírito Santo me disse que esse tipo de sonho representa uma área vital que está em extrema decadência.

Áreas vitais dizem respeito a casamento, saúde, filhos, pai e mãe, e à própria saúde da pessoa.

Sonhar que está perdendo todos os dentes representa morte, perda financeira, perda de conquistas, de uma casa, um tufão de problemas vindo, várias adversidades que estão cercando a pessoa.

Aplicação

É necessário orar para cancelar o espírito de morte, tragédia e destruição que está agindo contra a família dessa pessoa. É necessário também vigiar, porque, se alguma área da vida começou a dar problema, é preciso dar uma atenção maior àquilo, já que, possivelmente, podem surgir problemas maiores ali. Possivelmente será necessário pedir ajuda, inclusive para que pessoas orem por ela, a fim de levantar as defesas espirituais o mais rápido possível.

Interpretei sonhos com dente nos quais aconselhei a pessoa a realizar exames de saúde, e quase todos identificaram problemas a tempo de serem tratados. Por isso, é preciso identificar o que está ocorrendo.

Oração

Bendito seja o nome do Senhor Jesus. Ensina-nos a vigiar e a orar em todos os momentos. Dá-nos discernimento para identificar toda arma forjada contra nós, e que elas sejam canceladas; que todo o espírito de decadência caia por terra em nome de Jesus. Amém.

Mil poderão cair ao seu lado; dez mil à sua direita, mas nada o atingirá.

(Salmos 91:7)

SONHAR COM
PESSOAS CAINDO

Interpretação

Sonhar com pessoas caindo representa algo que acontecerá e sobre o qual dificilmente teremos algum controle. Geralmente está ligado a pessoas próximas, que muito amamos. O Senhor deu um grande livramento para minha filha através de um sonho assim. Ela caiu na piscina sem ninguém ver, e Jesus a livrou porque tive a interpretação e avisei minha funcionária – claro que depois de orar e repreender tudo que fosse acontecer longe dos meus olhos. A Deus a glória pelos sonhos proféticos.

Aplicação

Nesse tipo de sonho, temos que orar pedindo a proteção de Deus e redobrar os cuidados com todas as pessoas com quem temos vínculos afetivos.

Quando desenvolvemos nossa habilidade de "acreditar" nas coisas de Deus com o coração, e não apenas com a mente, somos capazes de caminhar em uma compreensão maior dos mistérios espirituais e bloquear armadilhas terríveis do nosso inimigo.

✦

Oração

Deus Todo-poderoso, glorificamos Seu santo nome e pedimos Sua proteção. Senhor, protege o meu filho que está viajando, ampara minha filha na escola, cuida das coisas, das pessoas que estão longe de mim e tudo que foge do meu alcance e meu controle. Venha guardar a todos que eu amo. Repreendo todo ataque contra a vida de pessoas próximas a mim. Que todo o mal retroceda, em nome de Jesus. Declaro vitória de Deus sobre a minha casa. Amém.

10

Preparas uma mesa perante mim na presença dos meus inimigos, unges a minha cabeça com óleo, o meu cálice transborda. Certamente que a bondade e a misericórdia me seguirão todos os dias da minha vida; e habitarei na Casa do Senhor por longos dias.

(Salmos 23:5-6)

SONHAR COM

PERSEGUIÇÃO

Interpretação

Sonhar com perseguição representa espírito de inveja, é uma pessoa que está sendo fortemente influenciada espiritualmente pelo mal devido a ciúmes de você ou de algo que Deus colocou no seu destino. Revela espíritos imundos que estão usando pessoas, não apenas para invejarem, mas também para arquitetarem o mal contra você, tentando prejudicá-lo. Na sociedade de hoje, muitas pessoas sentem que seu valor ou importância são baseados em emprego, amigos influentes, condição social ou posição na igreja. Em função desse tipo de pensamento, temem que outra pessoa seja promovida antes delas. A inveja é terrível e faz com que elas tentem ser importantes aos olhos do homem. A inveja levou os irmãos de José a vendê-lo como escravo. Eles o odiavam porque o pai deles o amava muito. Esse sonho é um aviso de extrema comparação que alguém está fazendo em relação a você.

Aplicação

Quem tiver esse tipo de sonho deve pedir para Deus proteção, pois tem alguém cuidando os seus movimentos. Ore para que o Senhor o torne seguro de si e para que esqueçam de você em relação à comparação. É um sonho muito sério, que requer prudência e oração, para que todo o mal intentado seja cancelado, em nome de Jesus.

✦

Oração

Senhor Deus e Pai, pedimos que nos guarde de todo o mal, dê-nos prudência e proteja-nos contra os nossos inimigos. Livra-nos de toda a inveja, de toda a maldade e tudo que vem para nos causar prejuízo ou danos. Abençoa nossa vida. Clamamos o sangue de Jesus sobre nós. Na autoridade do nome de Jesus, eu cancelo toda ação maligna, todo ataque de inveja e concorrência desleal para travar as coisas; que toda a tranqueira do inferno seja dissipada. Amém.

O meu socorro vem do Senhor que fez o céu e a terra. Não deixará vacilar o teu pé; aquele que te guarda não tosquenejará. Eis que não tosquenejará nem dormirá o guarda de Israel. O Senhor é quem te guarda; o Senhor é a tua sombra à tua direita.

(Salmos 121:2-5)

SONHAR COM

LADRÃO

Interpretação

Sonhar que alguém roubou sua carteira, que um ladrão entrou na sua casa, que alguém roubou seu celular ou qualquer outro sonho relacionado a roubo de objetos pessoais significa que o inimigo está usando algo ou alguém para planejar tirar algo que lhe pertence.

Sonhos de roubo estão, dessa forma, relacionados a uma grande guerra que está acontecendo para o diabo roubar algo de você. Podem significar também que o inimigo está tentando levar um filho para um vício ou intentando levar o marido, a esposa, para os braços de uma pessoa estranha.

Por isso, sonhos com roubo não são bons, e podem estar relacionados a pessoas que estão logrando você, até mesmo no trabalho.

Aplicação

Esse tipo de sonho deve sempre levá-lo a orar e pedir para Deus trazer clareza e mostrar o que está errado ou oculto, crendo que o Senhor revelará. Sonhos e visões trazem um encontro face a face semelhante ao que Moisés teve com Deus.

Os sonhos nos mostram a bondade do semblante do Senhor sobre nós. Por meio de nossos sonhos, Ele coloca alegria e paz em nossos corações; Ele nos mostra como prosperar e viver em segurança.

✦

Oração

Eu uso a autoridade que o Senhor me confiou para pisar serpentes e escorpiões, e quebro, na Autoridade de Jesus Cristo, todo tipo de influência na nossa vida, todo tipo de sonho que de tempos em tempos retorna contra a felicidade e a prosperidade. Clamo o sangue de Jesus sobre cada vida e declaro desfeito tudo o que vem para roubar, matar e destruir. Digo que está por terra, agora, em nome de Jesus Cristo, todo o intento das trevas. Amém.

12

O Senhor te abençoe e te guarde;
O Senhor faça resplandecer o seu rosto sobre ti, e tenha misericórdia de ti; O Senhor sobre ti levante o seu rosto e te dê a paz.

(Números 6:24-26)

SONHOS COM

PESSOAS QUE NÃO FAZEM MAIS PARTE DA SUA VIDA

Interpretação

Há repetição de sonhos relacionados a pessoas que não fazem mais parte da nossa vida, com as quais não temos mais contato. Grande parte das pessoas que sonham com quem faz parte do seu passado não tem a mínima intenção de reatar esses relacionamentos, pois está em uma nova fase da vida.

Esses sonhos podem revelar pessoas que não aceitaram o término de uma relação e, por isso, lançaram palavras malditas. As palavras dão legalidade para espíritos imundos agirem na vida de pessoas.

Aplicação

A única coisa que nos protege é a vida em Deus, uma vida totalmente coberta e protegida por Ele; o sangue de Jesus cobrindo a vida e protegendo-a totalmente.

Quem sonha constantemente com ex, seja ex-marido, ex-sogra, ex-namorada, ex-noiva, precisa começar a orar para repreender pragas e inveja lançadas contra si. Sempre orando para que Deus venha guardar a sua retaguarda, sua direita e esquerda, colocar diante de Deus a sua vida para que nenhum mal venha a lhe atingir, e que nenhuma praga, nenhuma palavra, nenhuma inveja, nenhuma oração contrária toque na sua vida.

Deve orar para proteger a sua vida, sua casa, seu casamento, seus filhos, seus negócios, e não deixar que esse mal opere na sua vida, de forma que possa lhe prejudicar ou ser tropeço no seu caminho. Orar para que tudo que não é vontade de Deus saia da sua vida.

✦

Oração

Pai Nosso, livra-nos do mal, guarda-nos de toda pessoa mal-intencionada. Vá adiante de nós, guarda nossa direita, nossa esquerda e nossa retaguarda. Que seja feita a Sua vontade em nossa vida e que todo o mal, toda a inveja, todo o ciúme, toda praga e toda palavra maldita sejam cancelados, na autoridade do nome de Jesus. Declaro que todo tipo de amarra espiritual na nossa vida não prosperará. Amém.

13

E há de acontecer, ó casa de Judá e ó casa de Israel, que, assim como fostes uma maldição entre as nações, assim vos salvarei, e sereis uma bênção; não temais, esforcem-se as vossas mãos.

(Zacarias 8:13)

SONHAR COM

PESSOA FALECIDA

Interpretação

Sonhar com pessoa que faleceu é algo negativo. Representa uma maldição na vida da pessoa que não foi quebrada, é uma revelação de que existem amarras espirituais que a prendem. É um sinal de que uma maldição na família ainda não foi desfeita. Que pragas lançadas, palavras malditas ainda impactam a vida de alguma forma e influenciam os ambientes em que se está inserido.

Aplicação

É preciso repreender todo tipo de maldição que ainda não foi quebrado na vida ou na família, toda palavra contrária lançada por pessoas do convívio.

Isso faz parte do mundo espiritual. Nossas palavras fazem o mundo espiritual reagir porque afetam o ambiente e mexem no cenário. Deus disse "haja luz" e houve luz, porque a palavra é algo espiritual. Toda palavra que sai de nossa boca é espiritual e pode construir ou destruir um cenário. É por isso que Deus usa promessas, palavras. As palavras são muito importantes pois criam ambientes e cenários.

Quando Elias desafiou os profetas de Baal (1 Reis 18), ele estava preparando um ambiente para a glória de Deus se manifestar. Quando ele, calmamente, levantou o altar e depois derramou água sobre ele e, por último, clamou ao Senhor que o fogo viesse, estava preparando o ambiente. Tudo o que Deus vai fazer em nossa vida requer um ambiente preparado.

Nesse sentido, a oração em línguas constrói um ambiente na nossa vida. Uma estrutura espiritual é levantada ao nosso redor toda vez que oramos em mistério. Por isso devemos buscar o batismo no Espírito Santo e o dom de línguas estranhas.

Oração

Eu cancelo tudo que vem do passado para trancar a minha vida. Declaro a bênção de Deus sobre a minha casa e nos ambientes em que vivo e círculo. Eu quebro completamente toda amarra espiritual. Que eu seja livre desses sonhos também, que remetem àquilo que não faz mais parte da minha vida, e que toda palavra proferida contra mim perca a eficácia, em nome de Jesus Cristo. Amém.

Não prosperará nenhuma arma forjada contra ti;
e toda língua que se levantar contra ti em juízo, tu a condenarás; esta é a herança dos servos do Senhor, e a sua justificação que de mim procede, diz o Senhor.

(Isaías 54:17)

SONHAR COM

CAIXÃO

Interpretação

Sonhar com caixão representa que há um plano em curso contra a vida da pessoa, portanto, não é nada bom. Pode representar negócios que a pessoa já havia firmado e aos quais Deus mostrou que não deveria dar continuidade; sociedades que Deus está revelando que não devem permanecer. Também pode estar relacionado a projetos em andamento que precisam ser colocados em oração para desvendar a existência de um plano maligno neles. Podem simbolizar, ainda, problemas estruturais em projetos dos quais até já foram pedidos os alvarás para construção (casas, galpões, prédios etc.).

Aplicação

Nesses casos, a pessoa precisa identificar qual é o mal que está agindo, depois orar e procurar fazer um apanhado da sua vida, um inventário do que está em andamento, para ver o que deve interromper. Na verdade, terá que buscar uma solução para estagnar o que já está em operação na vida dela. A pessoa precisa orar por discernimento e pedir para o Espírito Santo mostrar onde está o problema.

Muitas pessoas gostariam de estar fazendo grandes coisas, mas não conseguem porque têm uma mente limitadora, condicionada à impossibilidade, o que não lhes permite romper e alcançar a plenitude do que Deus tem para elas. Por isso, é preciso pedir a unção de Deus, que despedaça todas as impossibilidades da nossa mente. Assim, todos os limites são superados, e começamos a viver Deus em nós de modo ilimitado.

Oração

Senhor Jesus Cristo, peço discernimento para detectar se há algum mal em curso na minha vida, na minha família ou em outro projeto. Pai Celestial, proteja-me de todo intento de Satanás. Chamo o sangue de Jesus sobre o meu corpo físico, alma e espírito, e de todas as pessoas da minha família natural e espiritual. Eu declaro vitória de Deus e que nenhuma arma forjada contra o que me pertence prosperará, em nome de Jesus. Amém!

15

O SENHOR é o meu pastor, nada me faltará. Deitar-me faz em verdes pastos, guia-me mansamente a águas tranquilas. Refrigera a minha alma; guia-me pelas veredas da justiça, por amor do seu nome.

(Salmos 23:1-3)

SONHAR COM

ÁRVORES

Interpretações

Árvores geralmente estão conectadas à vida empresarial de uma pessoa, a negócios, mas também outros significados são atribuídos a sonhos com elas. Se elas derem frutos, por exemplo, fazem alusão ao sucesso, mas podem remeter a dificuldades econômicas, caso a árvore esteja sem fruto ou sem folhas. A árvore pode representar também uma família inteira.

Sonhar com árvores representa empreendimento, negócio, a empresa onde você trabalha.

Sonhar com uma árvore sem fruto simboliza uma empresa que precisa de ajustes ou de mais conexões, mais clientes... enfim, que está deficitária em algo.

Sonhar com uma árvore com frutos verdes representa um tempo de preparação para ter colheitas. A pessoa está, na verdade, em crescimento, na vida profissional, nos negócios, na carreira.

Aplicação

Ao sonhar ou ter visões com árvores, é importante observar como elas se encontram. Se a árvore tem frutos, se tem folhas, se está florescendo, se o tronco é forte... porque tudo isso é representação do estágio em que está uma carreira, um negócio, ou até mesmo daquilo que Deus quer fazer em relação aos empreendimentos. Então, é necessário orar e agir sobre o aspecto revelado, para mudar aquilo que Deus está mostrando.

Não há nada pior do que viver em um estado de insatisfação ou estagnação, seja material, emocional ou espiritual. E há pessoas assim, tão acostumadas a serem insatisfeitas, que acabaram ficando nesse lugar – o da insatisfação.

Mas deixe eu lhe dizer algo: há mais de Deus para a sua vida. Existe muito mais prosperidade, e, sobretudo, há muito mais da glória Dele, na presença do Espírito, do que podemos compreender, pensar ou imaginar.

✦

Oração

Deus, Pai de amor, o Senhor é o meu pastor, e a Sua palavra me garante que em nada me faltarás. Peço que derrame sobre mim a Sua prosperidade e que em tudo que colocar a mão eu possa frutificar e multiplicar. Coloco minha carreira nas Suas mãos, Senhor. Cancelo, na autoridade de Jesus, toda artimanha das trevas contra as minhas finanças e meu sucesso profissional. Amém.

16

Agora sei que o Senhor salva o seu ungido; ele o ouvirá desde o seu santo Céu, com a força salvadora da sua mão direita. Uns confiam em carros e outros em cavalos, mas nós faremos menção do nome do Senhor nosso Deus.

(Salmos 20:6,7)

SONHAR COM

CAVALO

Interpretações

Grande parte dos sonhos com cavalo é boa, fala de um tempo de batalha em que Deus vai fortalecer a pessoa com uma unção sobrenatural. A Bíblia diz que muitos homens andaram por uma unção sobrenatural aqui nesta Terra, homens que conseguiram caminhar grandes distâncias debaixo de um sobrenatural de Deus.

Sonhar com cavalo é uma força incomum que Deus está dando para vencer e romper com situações. Representa uma força que Deus vai dar durante um período para superar situações de dificuldade.

Sonhar com um cavalo normal, mesmo que esteja bravo, se a pessoa está em cima dele ou está querendo pegar as rédeas dele, é a força de Deus no tempo que se está vivendo.

Sonhar correndo de um cavalo é algo bom, pois representa que se está muito produtivo, avançando rapidamente.

Sonhar que está montando um cavalo e sair cavalgando livremente representa um tempo de ânimo para realizar e conquistar muitas coisas.

Portanto, sonhar com cavalo não é para jogar no bicho, mas denota uma força que Deus quer dar em um tempo de crise ou de dificuldade que está por vir.

Aplicação

Observar como eram os cavalos no sonho, tomar posse dessa força extraordinária que Deus está colocando sobre sua vida e romper.

Precisamos, a cada dia, procurar perceber o que Ele quer para nós neste tempo. Não podemos ser o tipo de pessoa que baixa a cabeça e simplesmente segue em frente. Temos que ter uma percepção espiritual do que é necessário para o nosso propósito, para o nosso chamado. Precisamos perceber as estratégias que Deus nos dá e aproveitar o fluxo de ar, perguntando a Ele, nesse fluxo, todos os detalhes do nosso propósito.

✦

Oração

Senhor, declaramos a nossa confiança e dependência em Ti. Tomamos posse das unções de fortaleza e rompimento que estão sendo derramadas sobre nós. Que haja um liberar disso que já está disponível a nós nas regiões celestiais. Venha nos fortalecer e guardar, e que essa força sobrenatural seja usada somente para cumprir a Sua vontade em nós. Colocamos diante de Ti nossa estrutura física, emocional e espiritual e Te pedimos, renova-nos, Senhor. Em nome de Jesus. Amém.

17

Guarda-me como à menina do olho; esconde-me debaixo da sombra das tuas asas, Dos ímpios que me oprimem, dos meus inimigos mortais que me andam cercando.

(Salmos 17:8,9)

SONHAR COM

PEIXE

Interpretações

As pessoas pensam que todos os sonhos relacionados a peixes são bons, e na maioria das vezes isso é verdade. No entanto, como temos dito e não podemos cansar de dizer, "As interpretações pertencem a Deus", e algumas interpretações de sonhos com peixes mostram perigo.

Sonhar que está pegando um peixe grande ou muitos peixes representa prosperidade, por isso, empresários, quando querem começar um negócio, e sonham com muitos peixes, é resposta de Deus com uma mensagem de prosperidade.

Abundância de peixes também simboliza produtividade, por isso, muitos pastores, evangelistas, mulheres de intercessão sonham com peixes. Nesse caso, não está relacionado à prosperidade material, mas no sentido de almas para ganhar, pessoas a alcançar, lugares para se estabelecer em prol desse objetivo.

Sonhar com um lugar com poucos peixes representa que é preciso ter cuidado nos seus investimentos ou ter cuidado ao estabelecer uma empresa ou mais uma filial.

Sonhar com peixe na água barrenta significa que quem está no meio de um negócio vai ter que tomar cuidado, pois há gente desleal por perto; isso pode estar relacionado a alguém querendo puxar o seu tapete ou a uma negociação que não está muito bem atada, bem-feita, e que pode trazer problemas.

Sonhar com peixe estragado, peixe podre significa que a pessoa deveria ter uma colheita, no entanto, aquilo não passa de ilusão, pois não se efetivará; ou seja, é um negócio que possivelmente não dará certo. Pode representar um dinheiro recebido cuja perda o inimigo está projetando.

Aplicação

Há certas coisas que uma criança não pode fazer, somente os adultos. Se queremos acessar novos níveis de rompimento, novos níveis de prosperidade e avançar na vida, ter um destravar, um desbloqueio, precisamos aumentar a maturidade e o discernimento sobre a área que queremos romper.

Se for peixe podre ou morto, não é bom, a pessoa tem que ser prudente, orar e pedir a Deus o discernimento sobre onde pode acontecer um rombo nas finanças, e repreender toda perda financeira. Se o peixe estiver em água barrenta, é preciso ficar atento a negociações que estão em andamento.

✦

Oração

Senhor, pedimos entendimento para viver com sucesso todos os momentos da vida. Livre-nos de toda pessoa traiçoeira, de toda inveja, de toda perda e tudo que vem para tentar prejudicar nossos negócios, em nome de Jesus. Derrame sobre nós bênçãos sem medida. Clamamos por uma intervenção em todas as áreas da nossa vida, damos liberdade para o Senhor agir na nossa casa. Amém.

18

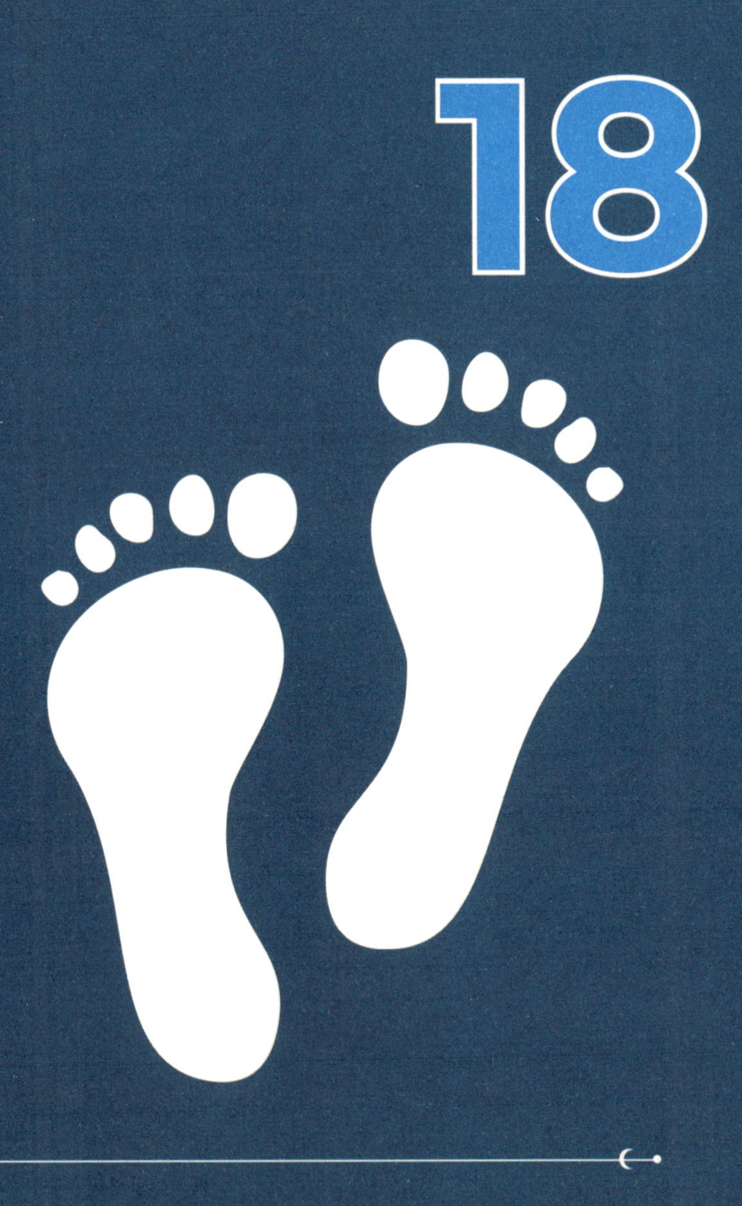

Dirige os meus passos nos teus caminhos, para que as minhas pegadas não vacilem. Eu te invoquei, ó Deus, pois me queres ouvir; inclina para mim os teus ouvidos, e escuta as minhas palavras.

(Salmos 17:5,6)

SONHAR QUE ESTÁ ANDANDO DESCALÇO

Interpretações

Sonhar que está andando descalço significa que a pessoa está se dirigindo ao plano original de Deus. Sonhar que está vendo só os próprios pés também representa um projeto original de Deus.

Sonhar só com os pés descalços sem ver o solo mostra que a pessoa está no desígnio original de Deus; se ela estiver no meio da água limpa, enxergando os pés, significa que Deus está abençoando o caminho dela, que está sendo purificada por Deus e que Ele está fazendo um grande trabalho na vida dela. É algo realmente tremendo.

Aplicação

Entender os planos originais de Deus e seguir avançando para a Sua vontade, sem se desviar dos projetos Dele.

Pessoas de sucesso, que pensam anos-luz à frente, estão sempre cheias de projetos. Precisamos ser o tipo de pessoa que está em constante preparo e expectativa para viver algo novo, para viver o extraordinário de Deus, porque para todo lugar que Ele quiser nos levar também nos capacitará para isso. Pode ser um lugar muito alto, mas Ele nos fará chegar lá.

✦

Oração

Senhor Deus e Pai, venha ao nosso favor. Livra-nos de toda distração e distorção e nos ajuda a permanecer no Seu plano original para cada um de nós. Renova a nossa mente para que possamos viver a Sua boa, agradável e perfeita vontade. Não permita que nossos pés vacilem, opera em todas as áreas da nossa vida. Seja a Sua palavra "lâmpada para nossos pés e luz para nosso caminho", guarda nossa entrada e saída para que o mal não nos atinja. Entregamos nossa vida ao Senhor e descansamos nas Suas promessas. Amém.

19

Sobretudo guarda teu coração porque
dele procedem as saídas da vida.

(Provérbios 4:23)

SONHAR QUE

ESTÁ NU PUBLICAMENTE

Interpretação

Sonhar que está nu publicamente representa que a pessoa está passando por um momento de extrema exposição, por algo traumático. Pode mostrar que alguém o exporá, envergonhando-o, por maldade, para atingi-lo e lesá-lo. Denota uma grande injustiça pela qual se está passando. Representa difamação, gente inventando mentiras, podendo surgir também alguma situação no seu caminho que o levará a ter uma atitude errada, ou seja, uma provocação ou um laço para humilhá-lo.

Aplicação

Quando se sonha isso, é necessário vigiar e orar a Deus para Ele lhe dar sabedoria a fim de discernir o momento em que isso irá acontecer, para se proteger e vencer tal laço do inferno. Orar repreendendo toda mentira. Não baixar a guarda. Clamar proteção do Senhor e revestir-se com a armadura completa citada em Efésios 6.

✦

Oração

Senhor, vá à minha direita, lute as minhas batalhas. Jesus Cristo, entra na minha vida, entra no meu coração e me faz vitorioso. Reveste-me de toda a armadura espiritual e cancela toda mentira, toda maldade contra a minha vida, e me guarda de todo intento do inferno, de toda provocação do inimigo. Dá-me sabedoria e discernimento em todos os momentos, em nome de Jesus. Amém.

Porém tu, Senhor, és um escudo para mim, a minha glória, e o que exalta a minha cabeça. Com a minha voz clamei ao Senhor, e ouviu-me desde o seu santo monte.

(Salmos 3:3,4)

SONHAR COM

MEIOS DE TRANSPORTE – LOCOMOÇÃO

Interpretações

Sonhar com bicicleta está relacionado à vida profissional, com o detalhe que representa uma ideia que precisa ser aprimorada. Então é como se a pessoa estivesse bem no princípio de um projeto, para o qual precisa acoplar mais conhecimento e aperfeiçoamento.

Sonhar com moto marca a vida profissional de uma pessoa em início de carreira ou começo de um propósito. No entanto, se a pessoa já tem certa idade e continua sonhando com moto, significa que não avançou nisso da forma que Deus gostaria.

Sonhar que roubaram sua moto representa a vida profissional sendo dificultada, atrapalhada, por outras pessoas.

Sonhar com carro diz respeito a uma vida financeira e profissional estruturada, segura, estável, na qual a pessoa terá o suficiente para o seu sustento e de sua família.

O carro também pode representar um ministério, mas, na maioria das vezes, está falando de algo mais individual.

Sonhar com carro velho indica que a pessoa não está se atualizando profissionalmente e pode ficar obsoleta e atrasada em relação à concorrência.

Sonhar com ônibus está ligado a um tipo de trabalho de liderança, indicando que poderá ser um ótimo gestor com muitas pessoas, ou, no caso de quem está no seu chamado, pode estar relacionado também a isso. Sonham com isso pessoas que terão uma liderança muito influente. O ônibus está relacionado não apenas à pessoa propriamente dita, mas também ao que ela representa – por exemplo, um pastor de igreja, o dono de uma empresa, de um consultório... Dessa forma, sonhar com ônibus pode representar o seu ministério, o seu destino, e pode estar representando a vida profissional, o emprego, a profissão... enfim, o projeto de Deus para você.

Sonhar que perdeu a hora da descida, perdeu o ponto de parada significa que se está indo por um caminho sem compreender os sinais de Deus e sem discernir o tempo em que se está. No meu livro *Direções Especiais*, chamo isso de tempo de virada. Quando uma pessoa deixa escapar o tempo de virada na sua vida ela perde anos, muitas vezes porque não compreendeu o que Deus quer para ela naquele tempo.

Geralmente sonhos com ônibus são bastante proféticos.

Sonhar com avião ou no aeroporto geralmente representa algo muito bom.

Sonhar com avião subindo denota que a vida profissional está decolando, com prosperidade e possíveis promoções; está relacionado a um futuro de sucesso estrondoso, além do que se imaginou. É um verdadeiro milagre na vida profissional.

Sonhar com avião caindo é o diabo tentando roubar uma oportunidade. Alguém que está tentando lhe passar uma rasteira, está traindo-o nos negócios ou está, de alguma forma, tomando algo que pertence a você; revela que alguém foi colocado em seu lugar.

Aplicação

É preciso colocar em prática o que Deus revelou pelo sonho. Continuar buscando aprimoramento, não se acomodar.

Pedir que Deus coloque a Sua mão sobre o presente e opere no seu futuro. Vigiar na vida profissional para não ser deixado para trás e não perder espaços profissionais pela estagnação. Clamar por um destravar de Deus. Buscar cursos de aperfeiçoamento e atualização. Pedir a unção de Deus, pois ela serve não apenas para exercer um ministério, é também a graça de receber uma habilidade ou um agir de Deus para desenvolver determinada tarefa, função, ou para cumprir um chamado.

Devemos entender que, quando se fala em chamado, refere-se não somente aos ministérios elencados na Bíblia, de mestre, profeta, pastor, apóstolo ou evangelista. Cada pessoa tem um ministério, seja dentro de uma empresa, como coluna de sua igreja ou alicerce no ministério de outras pessoas. Quem trabalha na área da saúde ou tem um estabelecimento comercial, de alguma forma está no lugar onde exercerá o seu ministério. Foi isso que Deus lhe deu para desenvolver habilidades e se destacar naquela área. E, quanto mais unção recebermos de Deus, mais facilidade ou mais tranquilidade teremos para cumprirmos o propósito, o destino de Deus para nós. Quanto mais unção, mais tranquilidade santa!

A unção libera um fluir para que façamos as coisas com habilidade. É como aprender a andar de bicicleta; aprendemos e nunca mais deixamos de andar, porque temos essa destreza. Quando você recebe uma unção de Deus, recebe uma capacitação para manusear certa ferramenta ou mover-se em determinado ambiente. Irá fluir nisso e manifestar todo o seu potencial por meio daquela unção que está sobre você.

É preciso discernir o tempo e a vontade de Deus. Cuidar para não perder o tempo de virada. Estar sempre observando os sinais de Deus.

✦

Oração

Nosso Pai Celeste, clamamos pelo Seu discernimento para que entendamos em que tempo estamos vivendo e qual é a Sua vontade em nossas vidas. Mostra-nos os indícios dos tempos de virada em nossas vidas para que não nos afastemos das bênçãos que o Senhor tem para nós. Obrigado porque a Sua Graça nos alcançou e o Senhor nos guarda em todo o tempo, de todo mal. Senhor Jesus, peço a sabedoria do Alto para prosseguir avançando na minha profissão. Clamo pelo Teu agir no meu emprego (ou empresa). Amém.

Uma coisa pedi ao Senhor, e a buscarei: que possa morar na casa do Senhor todos os dias da minha vida, para contemplar a formosura do Senhor, e inquirir no seu templo. Porque no dia da adversidade me esconderá no seu pavilhão; no oculto do seu tabernáculo me esconderá; pôr-me-á sobre uma rocha.

(Salmos 27:4,5)

SONHAR COM

CASA

Interpretações

Sonhar com casa velha está ligado a maldição, a coisas do passado que ainda amarram a vida da pessoa e que precisam ser quebradas, pois estão prendendo, limitando. Pode estar ligado a uma doença, a uma maldição financeira, uma bancarrota... São correntes espirituais que precisam ser rompidas.

Sonhar com casa nova simboliza boas notícias, mudanças que vão acontecer na vida da pessoa, que podem ser gradativas; ou até mesmo algo que Deus está fazendo na vida da pessoa que trará colheitas boas no futuro. Pode representar um novo emprego, uma nova amizade, um novo relacionamento, uma nova etapa da vida, um ambiente em que se está entrando. Representa mudança, mas principalmente fala de um lugar em que se entrará e haverá realizações.

Sonhar com casa abandonada representa um lugar na nossa vida que precisa de uma atenção especial, de um cuidado maior, pois alguma coisa está descompassada. Casa vazia, abandonada, é o que o diabo busca para se esconder e agir.

Sonhar com casa alagada revela um descontrole na vida, dentro de casa. Pode indicar brigas, confusões ou que alguma coisa precisa de reparo e de soluções imediatas para que não comece a destruir a vida da pessoa e ela não perca aquilo que Deus já deu.

Aplicação

É preciso atenção ao que na vida está em processo, em que estágio se está vivendo; os elementos que estão acompanhando o sonho com casa podem indicar isso, e é necessário tomar as providências para reparar o mal ou seguir avançando. Pedir discernimento a Deus sobre qual mensagem Ele está passando no sonho. Fazer reparos imediatos, caso necessário.

Oração

Senhor, sabemos que Tu tens o poder para destruir todo o mal, porque absolutamente nada é impossível para Ti. Oh, Deus, faça-nos fortes para enfrentarmos todas as dificuldades e para que possamos resistir a todo o mal, com fé. Ensine-nos a ser alegres independentemente das circunstâncias, pois, apesar dos problemas, temos muitos motivos para nos alegrar. Senhor, temos o coração grato por tudo que tem nos dado e confiado. Ajuda-nos a honrar as bênçãos que o Senhor nos concede. Amém.

22

Ainda que um exército me cercasse, o meu coração não temeria; ainda que a guerra se levantasse contra mim, nisto confiaria.

(Salmos 27:3)

SONHAR COM

TOURO OU BOI BRAVO

Interpretações

Esse é um sonho bem frequente, e há algumas pessoas que já sonharam com isso e, anos depois, tiveram problemas muito sérios. Sempre que uma pessoa sonha com touro ou com boi bravo, é um ataque feroz que está iminente em seu casamento ou vida sentimental. Pode remeter ao futuro, e Deus não revela por mera informação, e sim para dar um livramento. Esse tipo de sonho representa, assim, um plano que já está arquitetado contra a vida da pessoa, como divórcio, briga ou outro evento para desfazer uma relação. Geralmente é uma armadilha que Satanás preparou para a pessoa. Também denuncia maldições de família que devem ser quebradas, desfeitas.

Enfim, esse tipo de sonho revela algo que está preparado e que precisa ser desfeito, cancelando aquela ação maligna.

Sonhar com touro morto significa que um ataque se encerrou contra você ou que em breve findará.

Aplicação

Não desconsiderar esse tipo de sonho, pois trata-se de avisos de Deus em relação ao futuro. Deus quer alertar a ter prudência, oração e sabedoria – peça discernimento a Deus sobre o que Ele está falando nesses sonhos.

Vale destacar que o discernimento de espíritos não é natural, humano. Um homem pode ser perspicaz, inteligente, ser capaz de ver determinada situação e fazer uma leitura rápida do que está acontecendo naquele lugar e tirar conclusões, mas isso é sabedoria humana, uma análise natural. Discernir espíritos, por sua vez, é uma capacidade dada por Deus, e não uma análise lógica, fundamentada naquilo que se está capturando naturalmente.

✦

Oração

Senhor, toca com o Seu poder sobre nossos lares. Neste momento oramos por prudência e sabedoria. Paralisamos, em nome de Jesus, todo espírito de briga, de confusão, de pornografia, de rivalidade e de competição dentro de casa. Se há alguma maldição na nossa família que deve ser quebrada, que então seja desfeita, em nome de Jesus. Cancelamos agora todo decreto de dívida contra a nossa vida e nossa família, em nome de Jesus. Amém.

Porque eu bem sei os pensamentos que tenho a vosso respeito, diz o Senhor; pensamentos de paz, e não de mal, para vos dar o fim que esperais.

(Jeremias 29:11)

SONHAR COM

NÚMEROS REPETIDOS

Interpretações

A repetição no sonho é importante, em especial dos números, porque eles podem representar anos, semanas e dias. Sendo assim, sonhar com números repetidos ou até mesmo olhar o relógio às 10h10 e no outro dia acordar e ver a mesma hora não é coincidência, é Deus querendo chamar a atenção para algo. Isso representa um tempo, uma chamada de Deus que está passando despercebida.

Quando uma pessoa sonha constantemente com números, significa que Deus está lhe mostrando caminhos, direções, sem que o indivíduo esteja se dando conta.

As pessoas veem horas iguais porque o Espírito de Deus as está constrangendo a olhar o relógio naquele exato momento. É o Espírito Santo pressionando e as movimentando a ver coisas iguais. Outras vezes, no trânsito, olham a placa de um carro e o número é o mesmo que estão vendo a semana inteira. Isso acontece tão repetidamente porque é o Espírito de Deus dizendo que algo precisa de atenção e estamos deixando passar.

Existem muitas interpretações de sonhos ou visões com números. Vou dar aqui apenas uma amostra. Em outra oportunidade, vamos desenvolver mais esse ponto.

Há números que significam confirmação, por exemplo, o número 3, que representa a Trindade, é um sinal de Deus.

Sonhar com os números 7 ou 77 é Deus completando uma obra, realizando algo na sua vida.

Sonhar com o número 12 representa uma escolha e também o final de um processo ou o começo de algo.

O número 19, por sua vez, significa um projeto de Deus, como uma família.

Quando Deus dá versículos da Bíblia, Ele também quer nos falar, há um propósito nisso também.

Portanto, sonhar com números está ligado a um chamado de Deus para a sua vida, e também é Ele querendo falar com você, dando-lhe uma direção.

Aplicação

Para saber o que Deus está querendo falar, é preciso orar, porque assim teremos a direção de Deus para aquilo a que Ele está chamando a atenção.

Por exemplo, se acordamos entre três e cinco da manhã, possivelmente é o Espírito de Deus nos provocando para orarmos. Aqueles que não ouvem o Espírito acordam nesse horário e voltam a dormir porque não entendem que é o Espírito os inquietando. Porém, é Deus tocando, batendo na tecla, vez após vez. Devemos estar atentos a esses sinais de Deus.

Oração

Senhor, abre agora tudo que estiver trancado. Envia anjos para abrir caminhos a todos que têm fé no Senhor. Restaura aquilo que está quebrado, vidas, famílias, relacionamentos, casamentos... Traz de volta o que traz esperança para o Seu povo. Que todo o desgaste seja dissipado, em nome de Jesus. Peço que o Senhor nos dê força, pois sabemos que a alegria do Senhor é a nossa força. Dá-nos um coração puro e um espírito reto e agradável ao Senhor, nosso Pai. Amém.

24

Quando tu disseste: Buscai o meu rosto; o meu coração disse a ti: O teu rosto, Senhor, buscarei. Não escondas de mim a tua face, não rejeites ao teu servo com ira; tu foste a minha ajuda, não me deixes nem me desampares, ó Deus da minha salvação.

(Salmos 27:8,9)

SONHAR COM

SAPATOS

Interpretações

Em geral, sonhar com sapato é bom. Sempre está apontando caminhos, mostrando uma direção.

Sonhar com sapato velho está relacionado a mudanças que precisam ser feitas, coisas que não podem permanecer do jeito que estão para não comprometer a caminhada. Isto é, precisa haver atualização de estratégias.

Sonhar com sapatos apertados, que machucam os pés, significa que está em um caminho inadequado ou fazendo alguma coisa que não é da vontade perfeita de Deus.

Sonhar com sapatos largos chama a atenção para um caminho que não pode ser trilhado sozinho, que precisa de outra pessoa para ajudar. Essa pessoa pode ser um pastor, um mentor, alguém que tenha mais conhecimento em determinada área, ou seja, indica que é preciso buscar orientação de alguém para ajudá-lo em um desafio. Significa que, para completar uma instrução que Deus colocou no coração, é preciso a ajuda de alguém, isto é, capacitar-se mais com auxílio ou necessidade de parceiros para realizar o que Deus colocou na sua vida.

Aplicação

Parar. Orar e pedir a Deus que mostre se está no caminho certo ou se anda fora da direção Dele, sendo necessário, de alguma maneira, buscar o caminho que agrada a Deus.

Elimine o que não vem do Senhor e o que pode ser da sua emoção. É fácil identificar o que vem do Senhor e o que vem da carne. Existe algo que todos nós precisamos ter: um filtro espiritual. Esse filtro só recebemos pelo meditar nas Escrituras, porque o Espírito coloca um prumo dentro de nós, e entendemos que, se não bate com a Palavra, não pode ser aceito por nós. Além disso, uma instrução de Deus não vai contra outra instrução de Deus. Isto é, Deus não vai mandar marchar para um lado e logo depois para outro.

Geralmente, Deus dá uma instrução para nossa vida, e durante a nossa caminhada se apresentam outras opções, que não vêm de Deus. Podemos até caminhar por outras direções, mas todos temos um norte. Quem sai do desenho de Deus somos nós mesmos. Em outras palavras, se temos um ministério para determinada área, mas alguém nos incentiva a investir em outra, devemos permanecer na direção maior, a direção *Mor* que Deus deu, não saindo dela.

✦

Oração

Espírito Santo de Deus, pedimos a sua capacitação para trilharmos os caminhos certos. Firma nossos passos, endireita as nossas veredas. Dá-nos bom ânimo para seguir, enfrentar os obstáculos e prevalecer. Repreendemos todo espírito de desânimo, de fracasso e de derrota sobre nós, em nome de Jesus. Amém.

25

Mas o príncipe do reino da Pérsia me resistiu vinte e um dias, e eis que Miguel, um dos primeiros príncipes, veio para ajudar-me, obtive vitória sobre os reis da Pérsia.

(Daniel 10:13)

SONHAR COM

CACHORRO

Interpretação

Grande parte das interpretações de sonhos com cachorros apresenta significados ruins, apontando para algo espiritual oriundo das trevas. Resistências espirituais se manifestam muitas vezes quando se está em propósito de oração por uma resposta de Deus e ela não está vindo. Nesses casos, pode ser um bloqueio espiritual que está nos ares, resistindo a uma bênção, a uma mensagem de Deus, a um sinal dos Céus e, até mesmo, às orações.

Satanás tenta governar territórios por meio de espíritos imundos e demônios, e a Bíblia diz que esses demônios muitas vezes resistem espiritualmente até mesmo a uma operação de Deus.

Aplicação

Quando isso acontece, a única maneira de vencer esse inimigo é por meio do jejum e da oração. A Bíblia fala muito de portas, e elas funcionam no mundo espiritual não apenas para dar acesso, mas também para bloqueá-los. Muitas vezes o inimigo está dominando, governando as portas. Pela intercessão, oração e jejum, conseguimos vencer os bloqueios para obtermos acesso ao que Deus tem preparado para nossa vida, bênçãos no natural, na família, no espiritual, no ministério, ou seja, por meio da oração conquistamos esses territórios.

✦

Oração

Pai, no nome de Jesus Cristo, cremos que o Senhor é vitorioso, Deus poderoso, e neste momento todo ataque espiritual e todo bloqueio que tem se levantado contra Seus filhos e filhas nós repreendemos, em nome de Jesus Cristo, e damos ordem para, onde houver uma ação maligna atuando contra a vida deles, que caia por terra, agora. Repreendemos também todo espírito territorial, todo governo das trevas na vida dessa pessoa, em nome de Jesus. Amém.

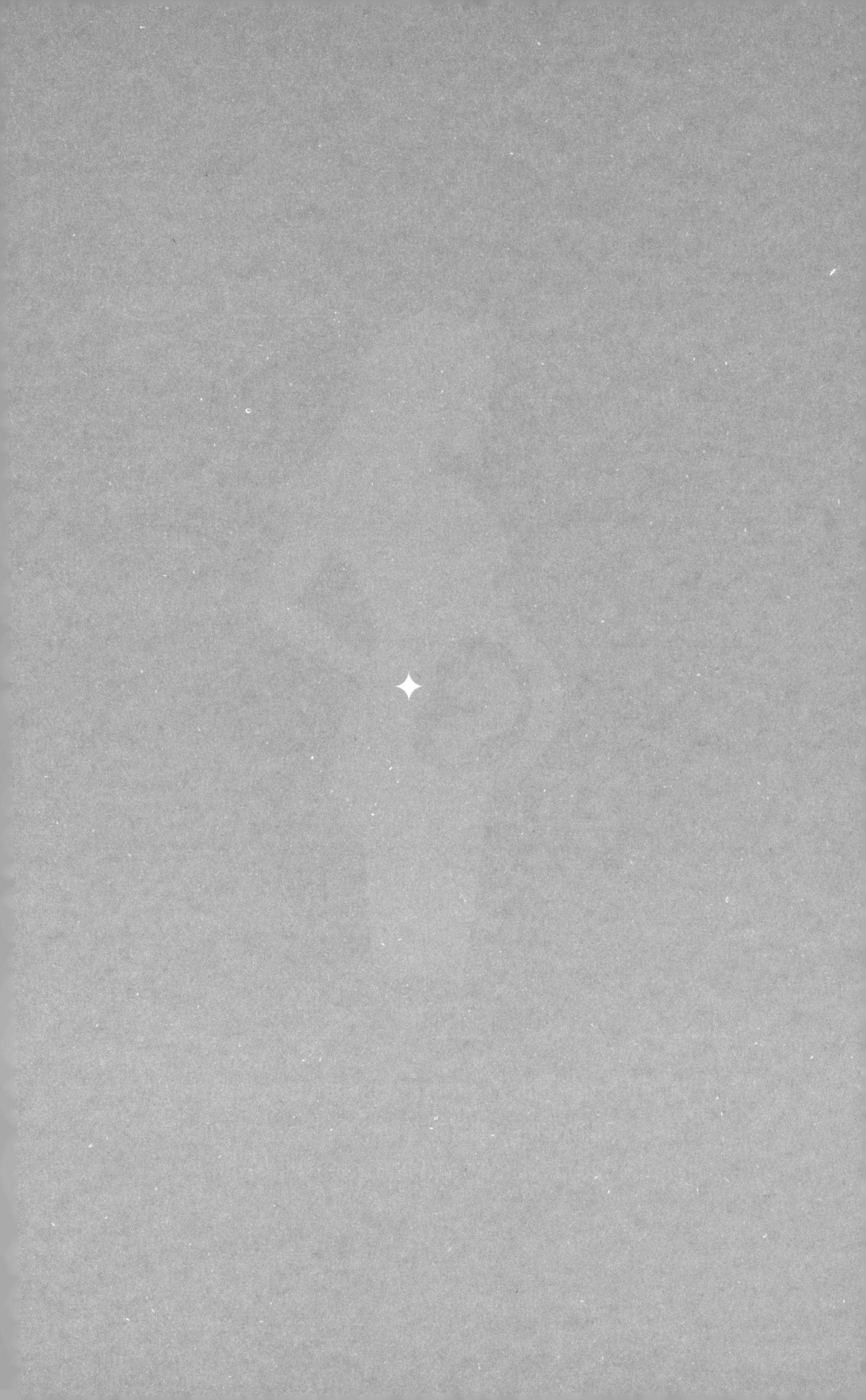

26

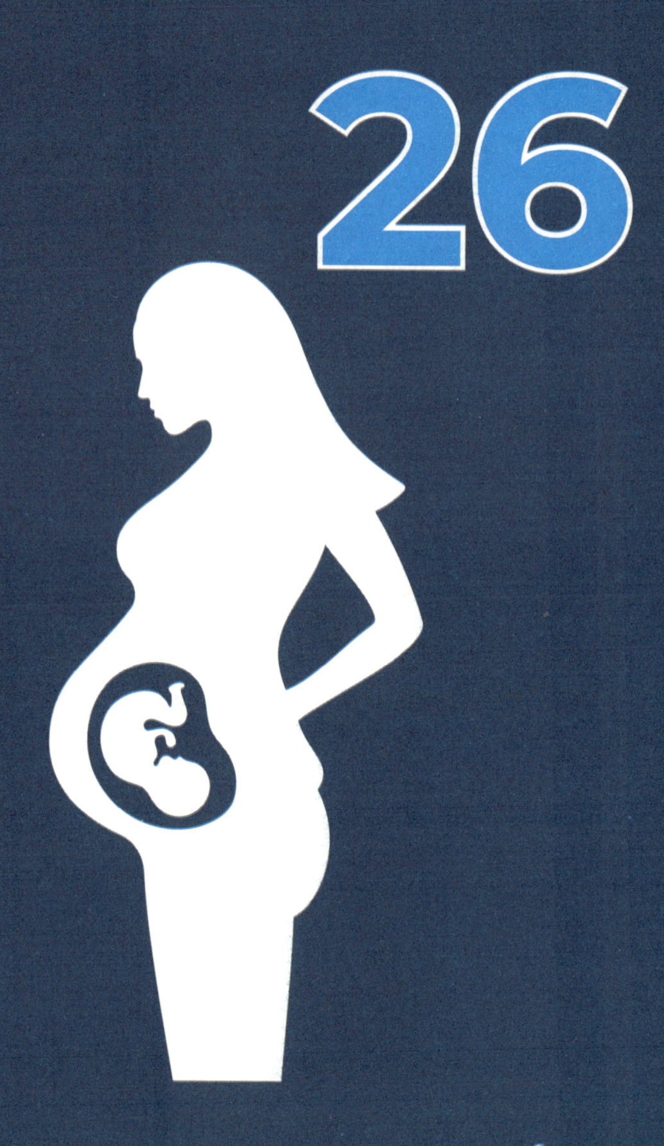

E sabemos que todas as coisas contribuem juntamente para o bem daqueles que amam a Deus, daqueles que são chamados segundo o seu propósito.

(Romanos 8:28)

SONHAR COM

MULHER GRÁVIDA

Interpretações

Sonhar com mulher grávida tem muitos significados e, geralmente, é algo positivo. Muita gente pensa que o fato de estar sonhando com mulher grávida significa que alguém da família ficará grávida – e pode até ocorrer isso, algumas vezes. Mas, na maioria das vezes, o sentido é espiritual e está relacionado diretamente à vida da pessoa.

Sonhar apenas com uma mulher grávida significa que existem projetos que estão em andamento, planos de Deus que estão se realizando. Então é algo muito bom, porque mostra que quem sonhou está no caminho certo e está fazendo os investimentos corretos; está mensurando chegar a lugares preparados por Deus, e Ele está abençoando.

Sonhar com uma mulher grávida na família pode representar algo bem literal, no sentido de que uma pessoa pode realmente aparecer grávida na sua família, e pode ser uma pessoa bem próxima. Todavia, também é sinal de realização pessoal daqueles que estão próximas a ela. Essas realizações podem ser no âmbito profissional, conquistando algo que se estava desejando muito.

Sonhar com uma mulher grávida desconhecida está relacionado a algo que vai surgir para a pessoa que sonhou, uma novidade, uma oportunidade, uma porta de emprego ou até mesmo uma chance de crescimento, seja para essa pessoa ou para alguém de sua casa. É um projeto adicional de Deus para a pessoa ou sua família. Isso se não existe nada agressivo no sonho, como um cachorro ou uma cobra.

Sonhar com mulher grávida dando à luz gêmeos significa que aparecerá uma parceria, uma pessoa que acrescentará, que de alguma maneira Deus está conectando à sua vida para executarem um projeto juntos. Pode ser uma sociedade ou uma parceria promissora.

Sonhar com uma pessoa grávida que está chorando por não desejar a gravidez significa que a pessoa está fora da direção de Deus.

Então, todo sonho de negação simboliza que a pessoa está fora de uma direção, de um propósito, ou está se distanciando de algo que Deus havia preparado para a vida dela, por isso a recusa.

Aplicação

É necessário apresentar e consagrar todos os nossos planos a Deus e pedir direção a Ele para que os Seus propósitos se cumpram.

Você está disposto a mudar algumas direções da sua vida, a mexer no seu esquema pronto para os próximos meses? Porque, se não estiver inclinado a isso, não pode viver uma renovação na sua vida, nem no seu chamado, nem no seu negócio, nem na sua família, nem em qualquer área da sua vida, pois é preciso buscar uma maneira de renovar, de receber algo de Deus, o que só é possível na presença do Senhor. É na presença Dele que a visão é renovada é que o espírito é repaginado.

Alguns pararam de se preparar, de buscar, de projetar coisas novas, mas o fato é que precisamos estar esperando em Deus, e isso significa se preparar para aquilo que Ele está querendo fazer em nossa vida.

✦

Oração

Pai de amor, Deus todo-poderoso, colocamos nossos projetos atuais e vindouros na Sua presença e pedimos a Sua bênção. Na autoridade do nome de Jesus, desfazemos toda obra de feitiçaria e bruxaria contra as nossas vidas. Que todo o mal que esteja se lançando ou amarrando nossas vidas seja cancelado, em nome de Jesus. Amém.

27

Livra-me, ó SENHOR, do homem mau; guarda-me do homem violento, Que pensa o mal no coração; continuamente se ajuntam para a guerra.

(Salmos 140:1,2)

SONHAR COM

BRUXA

Interpretação

Alguns sonhos com bruxa são a própria bruxa se manifestando dentro do sonho. Isso se dá porque às vezes pessoas que trabalham com bruxaria ou inseridas na bruxaria são próximas de quem sonha e aparecem no sonho. Porém, algumas vezes isso ultrapassa o nível de sonho, tornando-se uma materialização.

Também podem representar objetos de ocultismo ou de literatura mística que a pessoa guarda em sua casa, por meio dos quais entram espíritos de bruxaria.

Aplicação

A bruxaria só entra numa casa por uma legalidade espiritual. Ela não pode entrar sem uma porta aberta, é impossível. Essa porta pode ser um presente que não foi consagrado a Deus, pode ser uma literatura ocultista ou um objeto que está ligado a alguma prática maligna, de magia negra, ou até mesmo algumas práticas e seitas espirituais, que são responsáveis por abrir uma legalidade para o mal entrar. Todos esses objetos, livros e práticas devem ser banidos da vida e da casa.

✦

Oração

Senhor, faz-nos cada vez mais parecidos contigo. Queremos pedir-lhe que nos cure e liberte e que toda legalidade dada às trevas seja quebrada, na autoridade do nome de Jesus. Que o Senhor esteja no controle de todas as coisas. Repreendemos toda bruxaria e todo ocultismo, em nome de Jesus. Amém.

28

Em ti, SENHOR, confio; nunca me deixes confundido. Livra-me pela tua justiça. Inclina para mim os teus ouvidos, livra-me depressa; sê a minha firme rocha, uma casa fortíssima que me salve.

(Salmos 31:1,2)

SONHAR COM

PESSOAS DESCONHECIDAS

Interpretações

Sonhar com pessoas desconhecidas representa conexões que Deus dá; diz respeito a pessoas que vão cruzar seu caminho e vão abençoá-lo.

Sonhar com alguém desconhecido lhe fazendo mal mostra alguém que você não conhece e que mesmo assim não gosta de você; essa pessoa está ligada a alguém próximo para atacá-lo e tirar a sua boa fama, manchar o seu bom testemunho, a sua imagem e reputação.

Aplicação

É necessário observar as pessoas que estão cruzando nosso caminho, para não perder as conexões que Deus está fazendo, e perceber quais pessoas o Senhor está alertando para tomarmos cuidado. Orar pedindo discernimento e proteção.

Discernir vem de perceber, ouvir ou sentir. Assim, o discernimento espiritual pode ocorrer vendo, ouvindo, percebendo e sentindo. Isso porque aquilo que sentimos também pode ser uma forma de discernimento espiritual.

O dom de discernimento de espíritos é um dos mais importantes que se deve ter. Se não o temos, devemos buscá-lo. Pois todo cristão precisa buscar discernir espiritualmente o que está ao seu redor, o que é de Deus e o que não é.

Devemos aprender a ler os ambientes, as pessoas, mas pelo Espírito, pois somente dessa forma identificaremos suas nuances de forma correta. Se tentarmos ler um ambiente fora do Espírito, será adivinhação. Por isso, nunca force as coisas de Deus, pois elas são obtidas não por meios naturais, e sim por meios espirituais legais.

Há pessoas que usam o meio espiritual ilegal para ter discernimento das coisas espirituais e acabam se colocando nas mãos do diabo.

Quem quer andar em entendimento espiritual precisa aprender a discernir pelo Espírito Santo.

✦

Oração

Pai, louvo a ti porque até aqui o Senhor tem me sustentado. Peço discernimento para entender as Suas conexões para a minha vida e que me livre de toda pessoa mal-intencionada que chegar perto de mim. Espírito Santo, renova a minha vida, adestra as minhas mãos para o trabalho e traz os meus pensamentos cativos ao senhorio de Jesus Cristo. Que eu possa crescer na graça e conhecimento do Senhor. Deus Pai, esteja sempre comigo, em nome de Jesus. Amém.

29

E descobriu-lhe todo o seu coração, e disse-lhe: Nunca passou navalha pela minha cabeça, porque sou nazireu de Deus desde o ventre de minha mãe; se viesse a ser rapado, ir-se-ia de mim a minha força, e me enfraqueceria, e seria como qualquer outro homem.

(Juízes 16:17)

SONHAR COM

CABELO

Interpretações

Sonhar com cabelo vistoso, longo, bonito, saudável significa que Deus está lhe dando muita força, grande vitalidade, e está alegrando os seus dias. É algo bom.

Sonhar com perda de cabelo pode mostrar depressão, ansiedade, nervosismo, perda de ânimo e energia ou que a rotina da vida está se tornando perigosa; isso é ruim.

Aplicação

Deve-se observar o que está acontecendo com o cabelo no sonho. Se for queda de cabelo, é preciso entender se existe alguma coisa nociva no dia a dia, se há alguma prática negativa, e imediatamente abandoná-la.

É tempo de despertar para o que Deus tem para você. Inclusive se não está crescendo, se estagnou ou enfraqueceu em alguma área de sua vida, se há alguma instrução que ainda não cumpriu, que deixou pelo caminho ou que está ignorando, já que, para receber uma nova instrução de Deus, você precisa seguir a instrução anterior, independente do que Deus quer que você seja, cumprindo, assim, o projeto Dele.

Oração

Senhor, nosso Deus e Pai, agradecemos por Sua sabedoria e força. Conceda-nos prudência nas decisões, em especial nas áreas vitais. Auxilia-nos nas nossas limitações e traz Sua capacitação sobre nós. Eu repreendo, em nome de Jesus, todo espírito de ansiedade, todo nervosismo e irritação. Que bata em retirada todo espírito de depressão e tudo que vem para sugar a nossa energia, em nome de Jesus. Amém.

30

Disse Jesus: Quem crer em mim, do seu interior fluirão rios de água viva de seu ventre...

(João 7:38-39)

SONHAR COM

ÁGUA

Interpretações

Água representa ambiente.

Sonhar com água clara, límpida pode ser um ambiente de uma grande ação de Deus, em que o Espírito Santo está fazendo um grande trabalho na vida dessa pessoa. Sonhos assim representam uma obra do Espírito Santo no caminhar do indivíduo, e Deus está dirigindo os passos dela, guiando-a, dando sabedoria nas direções.

Sonhar com água suja pode ter três significados bem perigosos: inveja, mentira e falsidade.

Sonhar com vazamentos e água pingando do teto representa uma pessoa próxima de você que parece ser temente a Deus, mas ao mesmo tempo tem brechas e não é exatamente aquilo que prega.

Aplicação

Quando é água limpa, precisamos atentar para o que o Espírito Santo está dirigindo e fazendo em nossas vidas.

Quando é água suja, precisamos orar repreendendo todo espírito maligno de contrariedade, inveja e falsidade ao nosso redor. Sempre usar o poder do nome de Jesus para cancelar o mal.

É importante entendermos que só podemos enxergar aquilo que nos é familiar, então, quem passa mais tempo no Espírito, consequentemente, passa a ver mais no Espírito e menos na carne. Quem vê no Espírito não deixa de estar na carne, pois é homem natural, mas o fato de passar tempo na presença de Deus ou na dimensão do Espírito faz com que tenha mais visão.

✦

Oração

Deus de amor e graça, vem sobre nós nessa hora. Obrigada pelo Seu agir, Espírito Santo. Vem com Sua presença, invocamos o Seu santo nome, Jesus. Visita os ambientes por onde andamos, cuida da nossa casa e da nossa família. Toca a todos com o Seu poder, em nome de Jesus. Amém.

31

Que deveras te abençoarei, e grandissimamente multiplicarei a tua descendência como as estrelas dos céus, e como a areia que está na praia do mar; e a tua descendência possuirá a porta dos seus inimigos.

(Gênesis 22:17,18)

SONHAR COM

AREIA

Interpretações

Em geral, sonhar com areia fala das promessas de Deus.

Sonhar com areia molhada demonstra que Deus está realizando promessas, está capacitando-o para ir ao encontro do que Ele lhe prometeu.

Sonhar com pedra na areia significa que se faz importante subir de nível de maturidade e de compromisso com Deus.

Aplicação

É mister tomar posse das promessas de Deus e andar em direção a conquistá-las. Orar para que Deus conceda maturidade para caminhar sobre o que Ele prometeu e já cumpriu.

Tão importante quanto Deus fluir através de nós é Ele fluir em nós, porque o rio deve nascer dentro, lavar primeiro a nós, para depois alcançar outras pessoas. Não queira ser usado nas mãos de Deus sem primeiro limpar o seu interior, mudando atitudes erradas e desenvolvendo maturidade emocional e espiritual.

✦

Oração

Pai querido, rendemos graças a Ti. Glorificamos Seu santo nome e pedimos maturidade e capacitação para tomarmos posse de tudo aquilo que o Senhor nos prometeu. Repreendemos, em nome de Jesus, todo enredo e atrapalho, tudo que vem para que a esperança do cumprimento das promessas se perca. Obrigado, Senhor, pelas Tuas bênçãos. Amém.

32

Pese-me em balanças fiéis,
e saberá Deus a minha sinceridade.

(Jó 31:6)

SONHAR COM

BALANÇA

Interpretações

Sonhar com balança fala sobre justiça, sobre ser justo ou muito pesado com alguém, e até mesmo injusto.

Sonhar com balança com frutos e comida pode representar tempos de prosperidade.

Entretanto, dependendo do sonho, pode revelar tempos de dificuldade. Na verdade, o sonho com balança é bem preocupante e exige uma dose maior de discernimento, pois pode estar prenunciando algo que precisa de oração ou de mudanças bruscas para devolver o equilíbrio às coisas.

Sonhar com balança pode significar que Deus vai nos julgar por algo que fizemos. Se Deus está mostrando a balança, Ele está falando que algo precisa ser acertado.

Aplicação

É importante entendermos a balança como um plano de Deus. É preciso, também, discernir para agir rapidamente e resolver as pendências que Deus está revelando.

Isso porque percepção espiritual sem discernimento não nos dá acesso. De nada adianta termos sensações e sonhos se não tivermos o discernimento deles. Se queremos ter acesso a um novo nível de vida espiritual, ao Sobrenatural, ao liberar de Deus, ao palpável de Deus, às experiências com Deus, precisamos mergulhar no profético.

✦

Oração

Senhor Jesus, perdoa os meus pecados, seja minha rocha e minha fortaleza. Obrigado, porque Tu estás comigo em todos os momentos. Repreendo, em nome de Jesus, tudo que vem para tentar roubar minha fé. Tira todo empecilho e todo entrave da minha vida. Peço pela Sua justiça e Sua provisão. Ajuda-me, Deus, nos momentos de dificuldade, e me dá discernimento e sabedoria administrativa em tempos de fatura, em nome de Jesus. Amém.

33

Os meus tempos estão nas tuas mãos; livra-me das mãos dos meus inimigos e dos que me perseguem. Faze resplandecer o teu rosto sobre o teu servo; salva-me por tuas misericórdias.

(Salmos 31:15,16)

SONHAR COM

BEBÊ OU CRIANÇAS

Interpretação

Sonhos com bebê e com crianças saudáveis determinam novos projetos, coisas que estão para acontecer. Inspirações de Deus para coisas novas.

Aplicação

É possível alegrar-se com o que Deus está preparando, mas também é preciso se aplicar para colocar em prática e em andamento as ideias vindas do Senhor.

É notório que todos precisam de revelação de Deus para caminhar bem. Podemos caminhar de várias maneiras, mas a melhor forma é através do veio da revelação do Espírito. Se aprendermos a ter revelação sobre nossos momentos, conseguiremos viver uma virada em nossa vida.

Toda pessoa que recebe uma revelação do Espírito floresce. Não obstante, sem a revelação as pessoas perecem. Entender isso é uma chave. Mais importante do que compreender a revelação é entrar no caminho da revelação. *Porque a verdadeira identidade de quem somos só vem com revelação.*

Oração

Jesus Santo, peço perspicácia para perceber as coisas novas que o Senhor está colocando em meu caminho. Peço também sabedoria e iniciativa para não deixar esses projetos esquecidos. Conceda-me graça para perseverar em todo o tempo. Amém.

34

Eu me alegrarei e regozijarei na tua benignidade, pois consideraste a minha aflição; conheceste a minha alma nas angústias. E não me entregaste nas mãos do inimigo; puseste os meus pés num lugar espaçoso.

(Salmos 31:7,8)

SONHAR COM

LEOPARDO, ONÇA, LEÃO

Interpretação

Representa ataque espiritual no lugar em que essa pessoa vive e convive. Se o sonho é com pessoas da igreja, por exemplo, esse ataque é na igreja. Se é em outro lugar geográfico, como um bairro, uma cidade, um país, pode representar um ataque nesse espaço. São ataques territoriais, por isso a pessoa sonha com animais territoriais, mais especificamente, animais predadores.

Aplicação

É preciso jejum e oração. Nesses casos, é necessário um contra-ataque estratégico, movimentando mais de uma pessoa em intercessão. É oração de guerra, repreendendo e mandando esses espíritos baterem em retirada.

Como diferenciar uma operação de Deus de uma operação maligna? Uma operação de Deus leva a Glória para Deus, vai sempre sobrepujar qualquer tipo de acontecimento natural, enquanto uma operação do inimigo, natural ou espiritual que reflete o natural, não terá a mesma dimensão das coisas do Espírito. É importante discernir por trás de uma operação, essa é a nossa missão.

Oração

Senhor Deus, entramos em Sua presença em espírito de arrependimento, clamamos o sangue de Jesus sobre nossas vidas. Pedimos Sua misericórdia, que se renova todos os dias, devido à qual não somos consumidos. Libera Seu poder nessa hora, e, pela autoridade do nome de Jesus, repreendemos todo espírito territorial, cancelamos toda ação maligna e damos uma ordem a Satanás e seus demônios para que batam em retirada, em nome de Jesus. Amém.

35

Faze resplandecer o teu rosto sobre o teu servo; salva-me por tuas misericórdias. Não me deixes confundido, Senhor, porque te tenho invocado. Deixa confundidos os ímpios, e emudeçam na sepultura.

(Salmos 31:16,17)

SONHAR COM

CHAVES DOURADAS

Interpretação

Sonhar com chaves douradas representa novas etapas, novos começos. Conquistas que a pessoa terá. Algo que Deus quer dar, uma coisa especial, como uma promoção chegando ou um novo nível de autoridade.

Aplicação

O próximo passo é buscar onde essa chave se encaixa, se é uma porta de emprego, se é uma casa nova que Deus quer dar, se é um lugar em que Ele quer que a pessoa esteja...

✦

Oração

Glorifico o Seu nome, Jesus, rendo graças ao meu bom Deus. Declaro que o Senhor é quem conduz os meus passos. Peço que o Espírito Santo ilumine os meus caminhos e me mostre a Sua vontade. Inaugura um novo tempo em minha vida e me capacita para essa nova etapa da minha vida. Em nome de Jesus. Amém.

36

E sonhou: e eis uma escada posta na terra, cujo topo tocava nos céus; e eis que os anjos de Deus subiam e desciam por ela.

(Gênesis 28:12)

SONHAR COM

ESCADAS

Interpretações

Sonhar que está subindo uma escada aponta para promoção, uma mudança de nível.

Sonhar que está descendo uma escada significa perdas profissionais, retrocessos iminentes na vida de uma pessoa.

Aplicação

É necessário vigiar e orar. Notar qual é a direção, se subida ou descida, e ficar atento a tudo que gira em torno da profissão, emprego ou negócios.

Oração

Deus meu, conceda-me Tua sabedoria. Abre meus olhos e ouvidos espirituais para que possa discernir os Seus planos e também os planos do inimigo na minha vida profissional e pessoal. Abençoa meu trabalho e adestra minhas mãos para que eu faça tudo com eficiência e excelência. Livra-me de toda inveja e toda pessoa que tenta me deixar para trás, e me ajuda a evoluir, em nome de Jesus. Amém.

37

Bendito seja o Senhor, pois fez maravilhosa a sua misericórdia comigo em cidade segura. Pois eu dizia na minha pressa: Estou cortado de diante dos teus olhos; não obstante, tu ouviste a voz das minhas súplicas, quando eu a ti clamei.

(Salmos 31:21,22)

SONHAR COM

AVES

Interpretações

Sonhar com aves nem sempre representa algo bom (na parábola do semeador, a Bíblia diz que as aves comeram as sementes que foram plantadas junto ao caminho). Aves no sonho podem representar pensamentos contrários, ataques de demônios querendo arrancar a semente, querendo escandalizar a pessoa e até mesmo trazer pensamentos perturbadores. Podem significar também pessoas difamadoras.

Sonhar com aves bicando a pele significa dificuldades com a autoimagem.

Sonhar com aves andando juntas no céu revela que existem pessoas próximas que irão romper, irão para a frente, podendo ser pessoas da sua equipe, seus filhos...

Sonhar com aves muito próximas da cabeça significa ataques na mente, pensamentos perturbados.

Sonhar com aves pretas representa coisas malignas, principalmente as aves de rapina, identificadas por serem violentas e briguentas.

Aplicação

É necessário ficar alerta quanto a todo movimento maligno e toda semente do mal perto de nós. É preciso orar e repreender o agir das trevas e pedir a proteção do Senhor.

Oração

Senhor Jesus, apresentamos nossa vida ao Seu altar e pedimos a Sua proteção. Peço que coloque sobre minha mente o capacete da salvação para guardar a minha mente. Cancelo todo combate na mente e todo ataque demoníaco sobre minha vida e minha casa. Caço nos ares toda palavra maldita, em nome de Jesus. Traz vitória sobre nossas causas, Deus Pai. Amém.

38

Porém tu, Senhor, tem piedade de mim, e levanta-me, para que eu lhes dê o pago. Por isto conheço eu que tu me favoreces: que o meu inimigo não triunfa de mim.

(Salmos 41:10,11)

SONHAR COM

DINOSSAURO

Interpretação

Sonhar com dinossauro também simboliza a ação de um demônio territorial, com a diferença de que este há muito tempo está arraigado em um lugar.

Aplicação

É um nível de batalha que é desaconselhável ser enfrentado por apenas uma pessoa; é necessário um exército especializado em tal área. Da mesma forma que existem as forças especiais na sociedade, para esse nível de batalha no mundo espiritual é necessário que haja um exército especializado e chamado por Deus.

Oração

Senhor Jesus, eu uno a minha fé com a dos meus irmãos, e, na autoridade do nome de Jesus, nós caçamos nos ares todos os espíritos territoriais neste país. Paralisamos, no nome de Jesus, todo espírito familiar que age há gerações nesta família e decretamos falência a todo mal, em nome de Jesus. Amém.

39

E vós, filhos de Sião, regozijai-vos e alegrai-vos no Senhor vosso Deus, porque ele vos dará em justa medida a chuva temporã; fará descer a chuva no primeiro mês, a temporã e a serôdia.

(Joel 2:23)

SONHAR COM

CHUVA

Interpretações

Sonhar com chuva pode representar um tempo de favor de Deus sobre a vida financeira, sobre os empreendimentos.

Sonhar com chuva com raios, relâmpagos e uma escuridão no céu significa, possivelmente, que o ambiente está perigoso para fazer negócios e para investir.

Aplicação

É necessário discernir os ambientes para saber em que chão se está pisando, dependendo dos elementos presentes no sonho. Se for ambiente perigoso, é preciso vigiar e orar para lançar fora todo intento de Satanás. Devemos estar atentos aos ambientes, buscando discerni-los. Isso porque os lugares falam, e nós precisamos ter essa compreensão.

Quando Jesus chegou a Gadara, um homem endemoninhado foi até Ele (Lucas 8:29). E por quê? Porque Jesus afetou aquele ambiente. A presença de Deus entrou naquele território espiritual.

Oração

Deus poderoso e misericordioso, perdoa nossas transgressões e iniquidades, lança no fundo do mar todo o nosso pecado e nos purifica com Teu sangue, Jesus. Dá-nos discernimento de ambientes e livra-nos do laço do passarinheiro e da peste perniciosa. Protege-nos das garras do inimigo, em nome de Jesus. Amém.

Se eleve o teu coração e te esqueças do Senhor teu Deus, que te tirou da terra do Egito, da casa da servidão; Que te guiou por aquele grande e terrível deserto de serpentes ardentes, e de escorpiões, e de terra seca, em que não havia água; e tirou água para ti da rocha pederneira; Que no deserto te sustentou com maná, que teus pais não conheceram.

(Deuteronômio 8:14-16a)

SONHAR COM

DESERTO

Interpretação

Ao contrário do que as pessoas pensam, sonhar com deserto não significa, necessariamente, falta, prova, dificuldade; também representa a oportunidade para Deus prover e dar novas ideias.

Aplicação

Aproveitar as oportunidades de Deus de confiar e depender Dele, de todo o coração. Crer que o deserto é lugar de passagem, de provação, de crescimento e proteção, e que Deus está provendo, mesmo na escassez. Orar e repreender todo impedimento de Satanás para receber as bênçãos de Deus.

Se você não estiver aberto às direções de Deus para a sua vida e a viver na Sua dependência, não poderá caminhar em lugares que já estão preparados para você. Há lugares que, ainda que não conheçamos, o Pai já preparou para que estejamos neles. Por isso, quando Deus mostra algo em sonhos, em visões ou por meio de uma palavra, aquilo precisa ser como o norte de uma bússola, nos dirigindo e levando a andar naquele sentido.

Oração

Nosso Amado Jesus, louvamos e engrandecemos Seu santo e poderoso nome. Declaramos que não há Deus como o Senhor, em poder, autoridade, beleza e santidade. Pedimos Sua destra fiel sobre nós, guiando e conduzindo nosso andar. Abençoa as épocas de falta e de fartura. Lança fora de nós todo medo por meio do Seu amor, em nome de Jesus. Amém.

Oh! Quão grande é a tua bondade, que guardaste para os que te temem, a qual operaste para aqueles que em ti confiam na presença dos filhos dos homens! Tu os esconderás, no secreto da tua presença, dos desaforos dos homens; encobri-los-ás em um pavilhão, da contenda das línguas.

(Salmos 31:19,20)

SONHAR COM

FOGO

Interpretações

Sonhar com lugar pegando fogo significa que pessoas estão querendo destruir sua reputação, seu crédito, sua moral diante de outras pessoas.

Sonhar com fogo também representa um grande descuido ou uma grande prova pela qual alguém vai passar. O fogo sempre estará conectado a um ambiente e pode estar ligado também a pessoas.

Por isso, o fogo também é uma informação que precisa de complementos para a interpretação daquilo que Deus está falando.

Aplicação

É necessário orar imediatamente contra aquilo que podem estar falando de você.

✦

Oração

Jesus de Nazaré, nosso Pai Celestial e amado Espírito Santo de Deus, colocamos nossa vida nas Suas mãos. Pedimos que o Senhor queime todo lábio impuro, toda língua maldosa e todo espírito de calúnia, fofoca e difamação sobre nossa vida. Repreendemos toda arma forjada contra nós, declarando, conforme a Tua Palavra, que esta não prosperará. Em nome de Jesus. Amém.

42

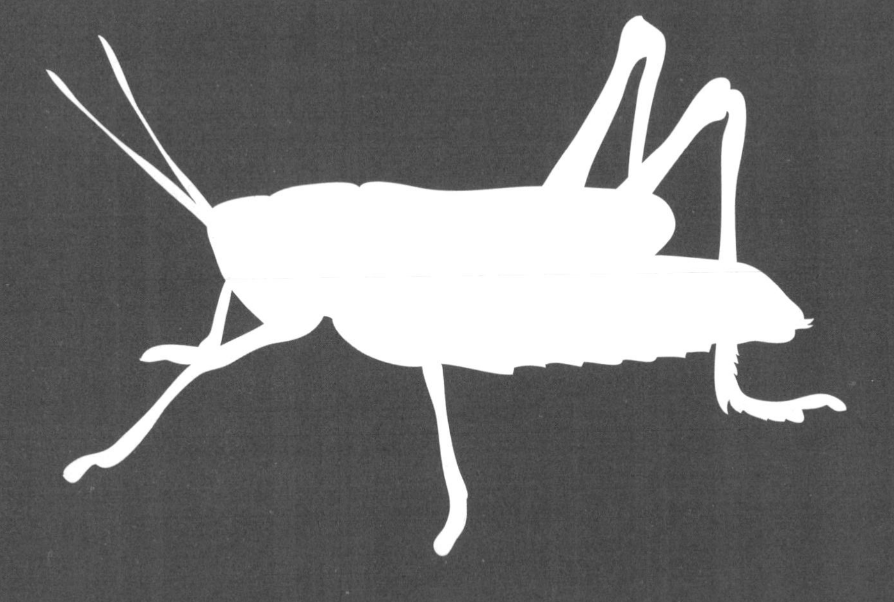

E restituir-vos-ei os anos que comeu o gafanhoto, a locusta, e o pulgão e a lagarta, o meu grande exército que enviei contra vós. E comereis abundantemente e vos fartareis, e louvareis o nome do Senhor vosso Deus, que procedeu para convosco maravilhosamente; e o meu povo nunca mais será envergonhado.

(Joel 2:25,26)

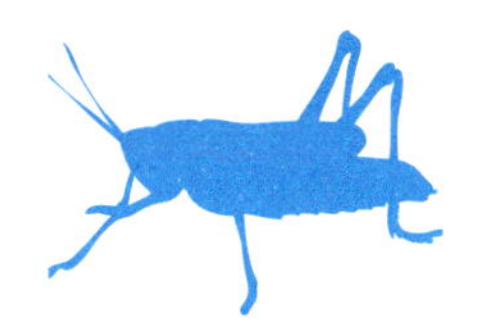

SONHAR COM

GAFANHOTOS

Interpretação

Quando uma pessoa sonha com gafanhotos, pode haver perdas que não estão sendo calculadas, gastos que não estão na planilha.

Também pode representar perda de dinheiro em um negócio. Sonhos com gafanhotos são muito perigosos.

Aplicação

Organizar as finanças, administrar bem os gastos, prever contas adicionais. Orar e pedir unção de administração e sabedoria a Deus. Repreender o espírito migrador, devorador e destruidor, em nome de Jesus.

Oração

Senhor, derrama sobre nós a Tua presença. Fala conosco e dá-nos direção para nossa vida espiritual, emocional e financeira. Não permita que sejamos enganados e oprimidos. Conceda-nos a Tua sabedoria e reveste-nos com unção de poder e administração sobre nossos bens. Livra-nos do espírito de calote e falência. Repreendemos o espírito migrador, devorador e destruidor, em nome de Jesus. Amém.

Estende as tuas mãos desde o alto; livra-me, e arrebata-me
das muitas águas e das mãos dos filhos estranhos,
Cuja boca fala vaidade, e a sua mão direita é a destra de falsidade.

(Salmos 144:7,8)

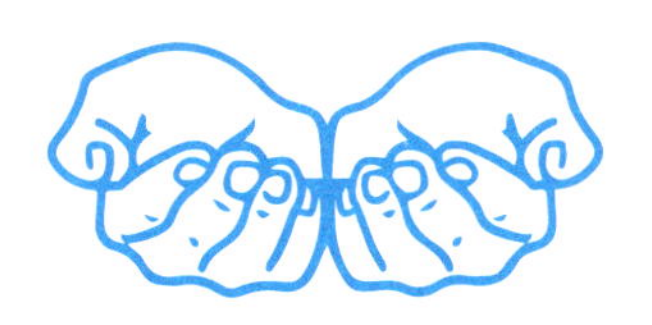

SONHAR COM

MÃOS

Interpretações

Sonhar com mão direita e esquerda que nunca aparecem sozinhas geralmente está ligado a outra coisa. Por isso, as pessoas sonham sendo mordidas, a mão sendo machucada, porque tudo isso diz respeito a informações que completarão a interpretação.

Sonhar com mão direita está ligado a trabalho e a favor de Deus, indica coisas que vão dar certo e faz alusão a habilidades de Deus e talentos que a pessoa tem.

Sonhar com mão esquerda chama atenção para algo em que não devemos nos meter, porque não sabemos a essência daquilo e, portanto, não temos habilidade para dar continuidade. Simboliza que estamos em uma terra minada, em apuros, e mostra que devemos correr de algo que já está começado, pois sopra tombo financeiro.

Aplicação

Como sempre digo, a interpretação de um sonho depende de muito da revelação que Deus dá e dos elementos que formam o seu conjunto. Por isso, sonhos com mãos dependem do contexto, e devem ser interpretados conforme ele se apresenta. Se a interpretação for negativa, é preciso vigiar, orar e jejuar para que aquilo que foi assinalado não se torne realidade.

✦

Oração

Santo Espírito de Deus, seja nosso ajudador e consolador. Fica conosco e nos guia em cada ação que fizemos. Guarda nossos afazeres de todo espírito de humanidade que leva ao erro. Dá-nos habilidade e destreza para realizar e conquistar, em nome de Jesus. Amém.

44

Seu é o mar, e ele o fez, e as suas mãos formaram
a terra seca. Ó, vinde, adoremos e prostremo-nos;
ajoelhemos diante do Senhor que nos criou.

(Salmos 95:5,6)

SONHAR COM

MAR

Interpretações

Há vários tipos de mar e também diferentes sonhos com mar. O mar pode estar relacionado a ambientes que vamos conhecer, a um lugar propício para prosperar, onde devemos entrar; oportunidades grandes que não devemos perder. Geralmente, sonhar com mar é algo bom, mostrando que devemos ir ao encontro de algo. O detalhe é que, na maioria das vezes, está conectado com outra coisa, como peixes e aves.

Aplicação

Discernir o que Deus está a revelar e aonde Ele quer nos levar. Não perder as oportunidades que Deus nos dá de avançar e prosperar.

Oração

Pai querido, apresentamos nossas vidas a Ti neste momento e pedimos: toma a direção de todas as coisas. Abre portas onde não há portas e mostra a Sua porta. Livra-nos de todo erro e ajuda-nos a prosseguir, em nome de Jesus. Amém.

45

O teu nome, ó Senhor, dura perpetuamente, e a tua memória, ó Senhor, de geração em geração. Pois o Senhor julgará o seu povo, e se arrependerá com respeito aos seus servos.

(Salmos 135:13,14)

SONHAR COM

CACHOEIRA

Interpretação

Sonhos relacionados a cachoeiras não são favoráveis, pois denotam que a pessoa está indo por um caminho sem volta. É interessante frisar que cachoeira está falando de queda d'água, não uma queda normal, como a de chuva, mas uma queda abrupta, forçada, ou queda livre. Assim, pode ser um aviso de que a pessoa está à beira da morte ou trilhando um caminho de perda total.

Aplicação

É preciso orar e pedir para Deus reverter esse caminho, embora a soberania Dele sempre prevaleça.

Oração

Senhor Jesus, soberano Deus, entramos em Tua presença para clamar o Teu favor sobre nós. Que tudo o que foi arquitetado pelas trevas sobre a nossa vida seja desfeito agora, em nome de Jesus. Que todo espírito de morte caia por terra e tudo que vem contra nós seja dissipado, em nome de Jesus. Pedimos que envie os Seus anjos ministradores em favor de nós, em nome de Jesus. Amém.

46

Que se lembrou da nossa baixeza; porque a sua benignidade dura para sempre; E nos remiu dos nossos inimigos; porque a sua benignidade dura para sempre.

(Salmos 136:23,24)

SONHAR COM

XÍCARA

Interpretação

Sonhar com xícara está relacionado a um tempo bom que a pessoa vai viver, um tempo de comunhão, de bons relacionamentos, de boas risadas. Está relacionado a amizades.

Aplicação

Podemos nos alegrar com um sonho desse tipo, pois revela coisas muito boas. Precisamos ficar atentos para os relacionamentos da parte de Deus em nossa vida e cultivar as boas amizades.

Oração

Pai de amor, glorifico Seu nome e lhe agradeço desde já pelas amizades abençoadas que trará para a minha convivência. Louvado seja pelos Teus grandes feitos. Toca-me com o Teu poder e o Teu amor. Revela-me a Tua vontade e ajuda-me a cumprir a Tua palavra. Amém.

47

Porque ele é o nosso Deus, e nós povo do seu pasto e ovelhas da sua mão. Se hoje ouvirdes a sua voz, não endureçais os vossos corações, assim como na provocação e como no dia da tentação no deserto.

(Salmos 95:7,8)

SONHAR COM

RATO

Interpretações

Sonhar com rato morto significa que você parou de perder coisas, ou seja, estava sendo atacado, estava perdendo e parou de perder. É como se algo tivesse sido estancado na sua vida.

Sonhar com rato vivo representa perdas iminentes, que podem acontecer a qualquer momento ou que estão acontecendo.

Aplicação

Vigiar e orar, observar onde podem estar ocorrendo perdas, de toda e qualquer ordem, para agir contra isso.

Oração

Senhor, guarda-me e protege tudo o que possuo. Repreendo, em nome de Jesus, todo espírito de perda e de prejuízo. Conserva a minha vida em paz e segurança. Guarda a minha casa e a minha família de todo agir maligno, em nome de Jesus. Amém.

48

Os planos fracassam por falta de conselho, mas são bem-sucedidos quando há muitos conselheiros.

(Provérbios 15:22)

SONHAR COM

OVOS

Interpretações

Sonhar com ovos representa vida.

Sonhar com ovos cobertos ou sujos com algo representa uma estrutura muito pequena ou falha, que, para haver uma reprodução e vida abundante, necessita ser melhorada. Urge estruturar-se espiritualmente para que Deus se manifeste a seu favor.

Aplicação

Cuidar da sua vida, zelar em todas as áreas para que haja vida em abundância e nada venha a reter o que o Senhor lhe prometeu.

Oração

Senhor Jesus, manifesta o Teu poder sobre nós. Trabalha na minha vida, mexe na minha estrutura, fortalece-me em Ti. Sê a minha rocha e fortaleza e ajuda-me a suportar o que tens para mim. Agradeço pelo Teu operar na minha vida. Vem reinar sobre mim e tudo o que me pertence, em nome de Jesus. Amém.

49

O SENHOR é a minha luz e a minha salvação; a quem temerei? O SENHOR é a força da minha vida; de quem me recearei? Quando os malvados, meus adversários e meus inimigos, se chegaram contra mim, para comerem as minhas carnes, tropeçaram e caíram.

(Salmos 27:1,2)

SONHAR COM

GATOS

Interpretações

Sonhar com gatos tem muitas interpretações; são sonhos de revelação. Podemos dizer que sonhar com gatos pode representar inveja, feitiçaria, pode mostrar que alguém não está tão apegado a você como você pensa.

Sonhar com um gato na cabeça ou no cabelo significa, possivelmente, que há pessoas que têm inveja do seu relacionamento, da sua felicidade, pessoas que gostariam de estar no seu lugar.

Na verdade, nenhum tipo de sonho com gato é bom.

Aplicação

É preciso entrar em oração de guerra e cancelar toda inveja e feitiçaria contra a sua vida.

✦

Oração

Deus querido, cremos no Teu poder e no Teu amor. Clamamos por uma intervenção sobrenatural sobre nossa vida. Caçamos nos ares toda obra de feitiçaria e de inveja contra nós e nossa casa, em nome de Jesus. Repreendemos tudo que foi tramado nas trevas contra nossos relacionamentos, contra a nossa felicidade e prosperidade, no nome santo de Jesus! Amém.

Bendito seja o **SENHOR**, minha rocha, que ensina as minhas mãos para a peleja e os meus dedos para a guerra; Benignidade minha e fortaleza minha; alto retiro meu e meu libertador és tu; escudo meu, em quem eu confio, e que me sujeita o meu povo.

(Salmos 144:1,2)

SONHAR COM

VASSOURA

Interpretação

Sonhar com vassoura pode representar mais de uma coisa, dependendo, mais uma vez, do cenário. De qualquer forma, sonhar com vassoura é Deus mexendo nos relacionamentos ou outros aspectos da vida. É Deus, inclusive, desfazendo coisas que não são da vontade Dele. Sonhar com vassoura sempre exige atenção redobrada, porque é algo que Deus quer mostrar.

Aplicação

É preciso ficar atento ao que Deus está querendo mostrar nesse tipo de sonho. Pedir que Ele dê discernimento espiritual para captar as informações do Céu sobre a situação vivida.

Todas as pessoas têm revelação, sensibilidade espiritual, mas muitas não têm discernimento espiritual, isso por falta de intimidade com Deus. Uma pessoa sem Deus não consegue discernir nada corretamente.

O perigo de alguém ser altamente sensível e não discernir é ser influenciado por coisas malignas. Pois, quando o diabo vê que uma pessoa tem sensibilidade, seja criança ou adulto, ele usa outras pessoas para tirá-la do discernimento espiritual certo e tenta influenciá-la ao engano, ao discernimento incorreto.

Satanás olhou para muitos personagens bíblicos, inclusive Jesus, e olha para a nossa vida também – e vê o propósito de Deus em nós. Às vezes ele entra na vida dos pais, até mesmo pelo que vê nos filhos, nas crianças, porque nota o propósito de Deus em suas vidas e quer colocar nelas um sistema contrário à verdadeira sensibilidade. Por isso, é importante combater aquilo que nega a espiritualidade, ensinando às pessoas que existe o mundo espiritual e que somos seres essencial e nativamente espirituais.

Oração

Poderoso e grande Pai celeste, invocamos a Sua presença e declaramos nosso amor pelo Senhor. Pedimos que nos ajude a entender a Sua linguagem e tudo que o Senhor deseja nos comunicar. Clamamos por uma unção sobrenatural e que nos revista com Seu poder. Abra nossos sentidos espirituais para que possamos nos mover na Sua dimensão, em nome de Jesus. Amém.